Dandy

Roman

Annie Joan Gagnon

Les Éditions
« Messagers des Étoiles » inc.

ISBN: 2-923419-06-5
Dépôt légal: premier trimestre 2006
Bibliothèque nationale du Québec
Bibliothèque nationale du Canada

Collection :
Soleil d'Étoile
Roman

À Hubert Moisan,
enfant du soleil et de la paix.

Chapitre un

1.

Ré mi fa sol la ré do la mi sol fa ré
do… Désolée, mais ce soir je vois toutes les
notes embrouillées, je suis incapable de me
concentrer, c'est comme ça depuis environ
deux semaines, non? Très exactement deux
semaines, je le sais parce que c'était le lundi 3
juin. Je peux le dire ici, j'ai rencontré
quelqu'un et à la place d'une musique qui
trotte dans ma tête, c'est lui en ce moment et
c'est d'une gravité insensée, car tout prétexte
est bon pour penser à lui. Je ne vois que du
orange : une voiture orange, une tortue
orange, le soleil orange; ma vie est devenue
orange depuis le jour où j'ai sauté en
parachute orange.

Bon, voilà, je devrais être en train de
m'exercer au violon et qu'est-ce que je fais?
Je m'évade encore une fois, mais en me
demandant si cela m'apportera quelque chose
un jour. Car lui, le fameux Phil (c'est son
nom) doit être dans un avion, se préparant à
sauter pour la dixième fois de la journée. Lui
ne doit certainement pas penser à moi. Deux
semaines se sont écoulées depuis le dernier
jour où l'on s'est vus et une semaine et six

jours depuis… oui, oui voilà depuis le fax que je lui ai envoyé. Non, rien d'alarmant seulement un petit mot de remerciement, une simple remarque du fait que j'avais apprécié mon expérience, alors quoi? Quelque chose de naïf, rien de… rien de trop personnel, bon. En fait, ce que je disais est ceci :

Vol vol par-dessus terre
Un oiseau sait le faire
Quand l'homme s'y affaire
Cela dépasse l'imaginaire

Phil Phil sait planer
Grand sourire s'est pointé
Sans peur, sans contrariété
Parachutiste, tel est son métier

Chut chut sans aucun bruit
Seulement un mot Dandy
Quand le rôle c'est la vie
On doit assurément dire merci.

Je sais, il doit sûrement avoir perdu déjà ce piètre poème. D'ailleurs je ne sais pas pourquoi j'ai fait cela. J'espérais qu'il me contacte, il a toutes mes coordonnées, mais de toute façon, il doit être marié et avoir des enfants.

2.

Je rencontre un gars une fois et paf! c'est l'homme de ma vie! Ce n'est pas par prétention, mais la plupart du temps, ça fonctionne. Alors pourquoi je m'en fais avec Phil… Il m'a fait un compliment, il m'a dit qu'il aimait le prénom Dandy, ça ne veut rien dire aimer un nom; mais s'il avait une femme dans sa vie, il n'aurait sûrement pas dit cela. J'imagine que si, disons, j'étais en relation avec Phil, supposons, je ne serais pas portée à faire des compliments du genre «dire à un garçon qu'il a un beau nom. » Ah! cela veut dire qu'il est libre, voilà! Je savais, c'était évident. Juste la façon dont il m'a caressé les cheveux dans l'avion… bon, replacé les cheveux, c'est du pareil au même, il l'a fait soigneusement. C'était tout comme si j'avais été dans un lit avec lui. J'exagère, mais je me dis qu'il ne doit pas faire ça avec toutes les filles. Il a fait cela parce que c'était moi uniquement. Voilà un autre signe qui tend à prouver que je lui plais.

Je suis là à me demander si j'ai provoqué un certain effet chez lui. Ça fait déjà deux semaines, il m'aurait téléphoné, aucun doute. Mais non, c'est un professionnel. Il n'appelle pas ses clientes. Mais quand le saut est terminé, je ne suis plus sa cliente, il devrait m'appeler. Et puis quoi! Qui est-il ? Aucune idée. J'ai seulement parlé avec lui cinq minutes, dix minutes? Douze minutes?

« Est-ce que tu gardes tes lunettes? il m'a demandé.

Veux-tu un casque? Tiens, voilà des gants. »

Ce n'est pas très constructif tout ça… mais c'est déjà un bon début. Ensuite, quand on se verra la prochaine fois, il me demandera ce que je fais dans la vie, si j'ai des activités comme aller souper au restaurant ou si j'aime aller au cinéma et, si je lui réponds que j'aime tout ça, il m'invitera sûrement, je dis sûrement, assurément. Eh je suis une vedette, moi! Je joue du violon dans un grand orchestre, j'enseigne la musique, moi! Je fais des spectacles dans des mariages, des mariages où deux personnes se jurent fidélité toute leur vie, ils font des serments devant Dieu, devant moi! Euh!

Non, non, il ne pourra résister, et puis Dandy et Phil, ça fait joli ensemble. Il m'a sauvé la vie après tout. Sans lui, je m'écrasais au sol. Nous étions associés au même ciel, retenus au même parachute.

3.

Quand je suis arrivée à l'école de parachutisme, j'étais en retard. Je ne savais pas ce qui m'attendait, je n'étais même pas nerveuse. Je n'ai pas eu le temps d'assister au petit cours explicatif. J'ai enfilé ma combinaison de parachutiste, Phil m'a emmenée à l'avion, je suis montée à bord et j'ai réfléchi pendant les vingt minutes qu'a duré le vol. Nous étions assis l'un sur l'autre, je sentais battre le cœur de Phil, mon instructeur. Phil m'a dit que le parachute est un bon moyen de contrer nos peurs, il m'a prévenue que ma vie en serait transformée... à un certain moment, je suis devenue impatiente. J'ai dit « Quand est-ce qu'on saute? Je n'en peux plus! » Phil s'est levé, il a dit : « Maintenant. » L'adrénaline est entrée en jeu. Je savais que c'était réel, que j'allais vraiment me lancer du haut d'un avion, c'était sérieux.

La porte s'est ouverte, je me suis avancée, j'ai vu la terre en dessous de moi, c'était magnifique. J'ai demandé à Phil, visiblement stressée : « Est-ce qu'on saute à genoux ou debout? » Il m'a répondu très calmement : « C'est comme tu veux… » Je suis restée debout, j'ai regardé en bas, je me suis imaginée une grande piscine, *plonger comme dans l'eau, la même chose sauf que c'est dans le ciel*, et j'ai plongé. Quand j'ai ouvert les bras, je me suis sentie comme un oiseau, jamais je n'ai vécu de plus belles sensations. Ça allait si vite, la terre s'approchait, je me suis sentie vivre, plus que vivre, c'est comme si j'étais maîtresse de l'univers, j'étais en communion avec le ciel. Je criais ma joie! C'était comme un grand film, le film de la liberté; j'avais des ailes, je volais, je volais dans le ciel, je flottais, c'était plus grand que Tout. Je n'ai plus senti le temps, mais cinquante secondes plus tard, le parachute s'est ouvert, j'ai été hissée vers le haut, tout s'est relâché, quelle plénitude… Quelle extravagance de la vie… J'ai profité de ce moment, la grâce incommensurable. Comme après un instant magique avec une personne qu'on aime, comme après avoir fait l'amour… J'ai observé très paisiblement ce qui se passait en bas. J'ai vu les lacs, les routes de campagne… Phil m'a demandé où j'habitais et m'a montré l'endroit. C'était aussi doux qu'une balançoire au ralenti, c'était planant…

Quand j'ai mis le pied à terre, on m'a demandé mes impressions; tout ce que j'ai été capable d'articuler, c'est : « Ma vie commence! »

4.

J'imagine la vie à côté de lui comme une musique. Une symphonie avec de grands mouvements où il y aurait de grands vibratos, un arrangement superbe avec des instruments à cordes. Au début, de petites notes qui font penser à la pluie, on entendrait ensuite la voix grave d'un violoncelle à l'arrière-plan pour annoncer la nouvelle d'un véritable amour malgré la température quelque peu frissonnante. Cette chaleur entraînerait l'éclairement du soleil et la venue d'un arc-en-ciel d'où les violons s'amuseraient à monter en quintes et tout en harmonie. On pourrait presque écrire un roman sur cette musique. L'eau deviendrait des triolets; les oiseaux, des duos où, entre eux, ils se répondraient; et un grand silence serait l'image du souffle coupé lorsqu'on rencontre par enchantement l'amour parfait où règnent en accord deux instruments de Dieu profitant de la portée pour s'envoler sur des notes incapables de rester en croches; elles fileraient si vite que seul un virtuose aurait la capacité de les fredonner.

L'amour parfait se tamiserait gracieusement sur une musique aux couleurs d'un ciel du soir se transformant en une grande sérénade ensorcelante qui se terminerait sous les étoiles, les étoiles que l'on voit seulement dans les yeux des gens qui s'aiment vraiment.

5.

Demain, jour de la Saint-Jean-Baptiste, j'ai un contrat dans la ville de celui que j'aime! Je ne l'ai pas cherché, c'est tombé du ciel. On m'a appelée hier soir pour me proposer cela. Je sais, ça ne veut pas dire que Phil sera là. C'est un concert en plein air avec un accordéoniste, ce sera du traditionnel. Je devrai répéter avec lui tout à l'heure pour qu'on s'ajuste aussi sur le répertoire. Demain, demain, demain… ce sera peut-être le plus beau jour de ma vie. Je vais peut-être faire danser Phil. C'est une fête foraine, alors s'il est du genre à fréquenter les activités municipales, il y sera sûrement.

6.

Je porte mon violon comme s'il était un trésor. Intérieurement, je fais une prière dans l'espérance de croiser Phil, ne serait-ce que deux toutes petites minutes. Seulement le voir un instant pour pouvoir rêver à lui le soir au coucher.

Je marche jusqu'au terrain de la Cathédrale, les artistes et artisans sont dans leurs préparatifs. Le maire de la ville est là. Je vois un homme qui est habillé en Amérindien; c'est un historien qui anime un kiosque, il parle du carcajou, de Louis Riel, des Patriotes. Il y a des enfants qui courent autour de moi. Je vais voir l'accordéoniste, on prend nos instruments et tout de suite on entame un *reel* du terroir. Ça fait rire les grands-pères. On fait une belle paire, même que les gens commencent à danser. J'ai le cœur à la fête, mon violon veut me faire plaisir, il joue si bien… je jette un coup d'œil pour voir la tête des gens.

Vers 2 h 00 mon front perle. J'ai chaud. J'ai comme une espèce d'étourdissement, je ferme les yeux et quand je les ouvre, il y a dans mon champ de vision un homme qui tape des mains. Je crois que j'hallucine. *Est-ce que c'est bien lui? Non, c'est impossible, est-ce que c'est lui?* Je n'arrête pas de me poser cette question. Je le vois sourire, son sourire est dans ma direction et j'ai même l'impression qu'il s'adresse à moi. Les gens crient, on voit que la musique les atteint. *Mais est-ce qu'il me reconnaît?* Cela devient évident, il porte sur moi un regard rieur, un air joyeux.

En cette seconde, je commence à l'aimer profondément, je fais écho à son sourire et mon archet devient de plus en plus léger. J'enchaîne immédiatement sur une valse, mon acolyte saisit tout, c'est comme on voit dans les films, une pluie de confettis envahirait le parvis et cela ne serait pas surprenant.

Mais, il y a une fille aux cheveux noirs qui met sa main sur l'épaule de mon Phil, elle lui murmure quelques mots que je ne peux saisir. Elle lui prend la main et l'entraîne au milieu de la foule, dans la danse. Cette petite

14

sort de je ne sais où et danse avec l'objet de mes désirs, sur MA musique. Je me retiens pour ne pas gronder tout haut, j'ai la fumée qui me sort des oreilles et des narines, je me vois rouge de colère et je n'ai aucun autre choix que de continuer à les faire valser. Après quinze minutes, je n'en peux plus; avec un sourire, cette fois-ci, craqué, je tire ma révérence, je salue mon ami accordéoniste et je m'enfuis sans même demander mes honoraires. Je pars en trombe et je maudis cette fille jusqu'en arrivant chez moi.

7.

Je me transforme tranquillement, je deviens une super-héroïne, je deviens une protagoniste de roman d'espionnage. 22 h 07, je me dirige vers chez lui. Avec son nom, j'ai réussi à trouver son adresse. Je suis bien décidée à découvrir le pot aux roses, j'en aurai le cœur net. Je saurai si c'est l'homme qu'il me faut si je vais l'espionner chez lui. Au moins, je le saurai. Je ne vais pas sonner, je ne vais pas m'aventurer, je ne suis pas folle. Je vais seulement préparer le terrain de loin. S'il est avec elle, je m'en vais, je ne suis pas maso. Je ne commencerai certainement pas à être jalouse avec un homme qui n'est pas dans ma vie pour le moment. Je tiens à dire pour le moment, car, peu m'importe s'il est avec une fille, je lui arracherai de ses griffes, c'est un serment! Je sais que c'est avec moi qu'il doit passer le reste de ses jours. Je m'appelle Dandy et j'aime l'homme Orange, personne ne peut me le prendre, sûrement pas une fille qui ne veut rien dire pour lui, comme je suis portée à le croire.

J'arrive à la bonne adresse, c'est ici. C'est une maison normale, pas de fleurs, pas beaucoup éclairée, ce n'est d'évidence pas une maison habitée par quelque fille qui soit. J'éternue. Je dois faire un souhait, je souhaite ne rien voir de traumatisant comme une peau d'ours devant le foyer avec une fille accroupie dessus. Je vais éteindre mes phares, je passerai inaperçue. Il n'y a pas l'air d'avoir un chat dans cette maison, même, il n'y a personne. D'abord, je ne vois rien, il y a seulement un petit chemin sur le côté qui donne sur le fond d'une cour.

Une voiture arrive! J'ai fermé le contact. Elle arrive directement ici. Je me cache en descendant mon siège, cela ne semblera pas trop louche. C'est une auto comme la mienne, peut-être la même année.

Bon, elle entre dans sa cour, c'est Phil qui est assis à la place du passager. Et c'est cette fille qui est au volant! La même que dimanche dernier. Elle me cherche! Vraiment, je suis déconcertée, j'aurais aimé qu'elle soit sa sœur, mais je vois que je me suis trompée, malheureusement. Il est temps d'espionner, je veux tout savoir, mes lunettes d'approche vont m'aider, je verrai tous ses défauts à cette peste. Je la déteste! Si elle n'était pas là, mon rêve serait parfait!

Ils se parlent tendrement, bon, elle le fait rire, comble de malheur! Moi aussi j'en suis capable! Non, non, non, c'est inimaginable, il ne peut pas me faire ça, les voilà qu'ils s'embrassent!

J'imagine leur conversation... palpitante... ouais!

« Merci pour la belle soirée, on s'appelle une autre fois...

— Oh! Phil, tu es tellement tout, j'attendrai ton téléphone sans faute, tu me promets que tu m'appelleras, mon chéri? Dis, dis, dis? Tu me le promets, Phil?

Énergumène! Avec ton sourire en forme de sangsue, tu devrais trouver autre chose à lui dire, et elle doit sûrement ajouter :

— Tu es merveilleux! Jamais un homme ne m'a fait rire comme une imbécile à ce point!

Et lui de rétorquer :

— Tu sais, il ne faudrait pas que tu t'imagines trop de choses à mon sujet. Il y a quelqu'un d'autre que toi dans ma vie, elle se nomme Dandy... c'est quelqu'un d'extraordinaire. Toi malheureusement, tu ne lui arrives pas à la cheville, il faudrait que je te dise qu'on ne pourra plus se voir, toi et moi, désormais, il y a Dandy dans ma vie et avec elle j'aimerais... »

Le voilà qui descend de la voiture de cette chipie, ils ne se sont pas embrassés trop longtemps. Au moins, il ne lui a pas offert de dormir avec lui, c'est déjà ça.

8.

Je n'ai pas l'esprit en paix, je me sens fébrile ou plutôt nerveuse. Je ne sais que faire pour calmer ces ardeurs non voulues. J'ai quelques jours de congé. L'été j'enseigne en privé, mais, durant l'année scolaire, je suis professeure de musique dans une école primaire. Comme septembre approche, je devrais sortir de la ville et en profiter avant la rentrée. Heureusement que j'ai de bons amis qui m'aident à évacuer ces humeurs ambivalentes. Il y a Jean, mon mentor au violon, en fait, mon premier professeur. Je l'ai connu quand j'avais cinq ans. Il est toujours resté dans ma vie. Il y a Louise que j'ai connue à l'école où je donne mes cours. Elle, elle est orthopédagogue. Il y a Sam qui est contrebassiste avec qui j'ai étudié au cégep. Lui et moi, on aime bien aller voir et entendre des concerts, surtout du jazz. Il y a un petit bistrot près de chez nous, ça s'appelle *Le café d'Ében;* il y a toujours beaucoup de musiciens qui viennent y jouer, on y fait beaucoup de découvertes, de tous les styles, c'est vraiment génial. J'ai parlé à Jean et à Louise de la fille aux cheveux noirs. Jean me dit de me battre, que je peux réussir à séduire Phil même s'il fréquente cette fille. Louise me dit de me plier. Elle dit de laisser les choses aller, que je devrais m'intéresser à quelqu'un d'autre, que je perds mon temps et mon énergie dans cette histoire. Quant à Sam, il ne s'intéresse aucunement à ma vie sentimentale, il est comme mon frère, il se balance complètement de mes fréquentations. On dirait que notre relation se résume à la musique; de m'entendre parler des hommes, ça l'énerve, il veut qu'on change de sujet aussitôt, il n'est pas normal. Sa dernière blonde, il la laissait tellement de côté qu'elle a dû le quitter inévitablement. Il ne l'emmenait jamais nulle part, il l'appelait quand il n'avait rien à faire. Il n'est pas très sérieux en amour; donc ça ne sert à rien de lui demander son opinion sur mes relations que je juge trop importantes pour qu'il se permette de mettre de l'interférence avec ses commentaires bidon. Il pourrait très bien me dire que je ne devrais pas sortir avec Phil parce qu'il n'aime pas sa démarche ou sa chevelure ou parce qu'il n'aime pas le timbre de sa voix.

J'aurais quand même envie de lui donner la frousse à cette fille aux cheveux noirs... La seule idée qui me vient en tête est de faire du grabuge à sa bagnole. Je pourrais lui dégonfler ses pneus ou enduire son pare-brise de crème à raser. Ce ne serait même pas très méchant, ce serait seulement un petit signe de révolte; mais, comme je suis plus diplomate et que je n'ai pas envie de me salir, j'ai un autre plan. Je vais immédiatement prendre le téléphone et passer à l'action. Je n'ai pas été mise sur terre pour me miner la vie avec des rivales, je sais ce que j'ai à faire. Je compose le numéro de Phil. Ça sonne. Tant mieux. Ça y est, on me répond, c'est elle :

— Allô.

— Bonjour. Est-ce que je pourrais parler à Phil s'il vous plaît?

— Phil est absent, est-ce que je peux prendre le message?

— Bien sûr. Je me nomme Dandy. Je voulais lui demander s'il est libre pour dîner. Il y a très longtemps que nous sommes supposés se voir pour discuter.

— Dandy… il ne m'a jamais parlé de vous. Vous êtes une amie…

— De cœur! Je veux dire une ancienne amie de cœur.

Pourquoi j'ai dit ça? Je l'ignore.

— Une amie de cœur…

Elle ne cesse de répéter tout ce que je dis. À mon avis, elle est ébranlée; d'après mon plan, elle va craquer dans quelques minutes. Cette fois-ci, j'adopte un accent londonien, voyons voir si elle résiste.

> — Eh bien… Il m'a dit qu'il voulait que nous nous voyions pour discuter de notre lendemain.

> — Mais qu'est-ce que c'est que cette histoire? Est-ce que c'est une blague ou quoi?

> — Oh non! Ce n'est pas une plaisanterie. Phil m'a dit qu'il voulait m'emmener dans un endroit très chic pour parler…

J'essayais de trouver quelque chose d'intelligent et de vraisemblable, mais je n'y arrivais pas, mon histoire ne tenait pas le coup.

— ... de notre avenir, tentai-je de poursuivre, vous comprenez?

— Pardon madame, mais c'est difficile à croire. Phil et moi n'avons jamais fait allusion à une quelconque Dandy. Maintenant je vous prierais d'aller faire votre cinéma ailleurs qu'ici. Au revoir, madame.

Et elle raccroche. Je ne me suis jamais sentie aussi mal de toute ma vie. J'aurais pu au moins inventer un autre prénom. Il a fallu que je me nomme! Je ne dirai à personne ce qui vient de se produire, j'ai beaucoup trop honte, c'est le pire plan de mon existence. Incapable de semer la moindre bisbille convenablement au sein de ce couple. C'est décidé, j'opte pour les recommandations de Louise à présent. J'abandonne ce Phil, je passe à autre chose. L'important, c'est de garder le moral. Cette petite mésaventure n'a été que pacotille et balivernes. Habituée de vivre des déceptions, je me sors encore gagnante de cette situation. Je dois me dire que cet homme a probablement trop mauvais caractère pour moi, ronfle et ne sent pas bon des pieds. Ce que je peux m'en faire accroire des sottises pour me consoler... La vie m'emmène ailleurs, vers d'autres bras plus confortables. D'ici là, je profite de mon célibat, je vais aller au concert ce soir avec Sam.

Chapitre deux

1.

Ça commence. Le piano pour débuter. Quelques notes de réchauffement. Les musiciens sont habillés comme des *crooners*, ils se prennent pour des *crooners,* mais avec un style musical bien particulier. Chapeaux, lunettes, chaussures cirées, expressions équivoques, incorruptibles et animées à la fois. La musique… La musique! Celui qui mène, c'est le pianiste, il est très doué. On croirait qu'il n'a jamais pratiqué de sa vie, qu'il a le Don. Ça fait un peu *saloon*, un peu NewYork, un peu… comment dire? Une musique intemporelle. Qui s'écoute avec délectation. Qui m'enivre et qui me donne envie de boire. Du vin. Rouge. Je me sens si bien. J'aurais envie de rester toujours ici. Je ne pourrais me lasser…

Quelle belle synergie entre musiciens! Et l'ambiance est extraordinaire. Les gens sont attentifs et décontractés. Je crois que Sam aimerait bien se retrouver parmi eux même si le contrebassiste respectif exerce son rôle à la perfection. C'est un homme assez âgé, il a l'expérience. Le pianiste est hallucinant! Ses doigts sont comme un mille-pattes qui danse sur les touches. Mais un mille-pattes qui a appris la danse professionnellement. Le percussionniste et le guitariste sont complètement déchaînés, ils aspirent la musique et nous la renvoient en pleine figure. Le plus beau sens est celui de l'ouïe, c'est clair. Tout ce que je sais faire dans la vie, c'est apprécier la musique. La cuisine, je ne connais pas; le tricot je n'ai jamais essayé; les voitures et l'informatique, je suis nulle là-dedans. Moi, mon domaine est strictement auditif. Et j'ai encore du chemin à faire. Il y a toujours quelque chose à apprendre, c'est infini.

Il y a maintenant des gens qui dansent. Ça se prête très bien au morceau qui est entraînant.

2.
Après le spectacle j'ai la chance de prendre un verre avec le guitariste. Il me parle de ses expériences musicales, je lui parle des miennes. Avec Sam, j'accumule les tournées; une fois c'est lui qui paye le vin, une fois c'est Robert, le guitariste, qui offre le porto et une autre fois c'est moi qui paye la Sambuca. Si bien que… il faudrait que j'aille dormir, demain j'ai un brunch chez mes parents avec

mon frère, mes sœurs et mes neveux… Un dernier verre et je quitte. Les autres musiciens sont partis au motel, et Robert est seul avec nous. Il ne connaît pas la ville et est trop ivre pour rentrer maintenant. Il demande si on veut prendre une pizza avec lui au resto d'en face. Bon, d'accord, mais je ne garantis rien de la tronche que j'aurai demain; de toutes façons, la famille a l'habitude de me voir fripée les lendemains de veille. C'est de me lever à 9 h 00 qui me fait peur. Il est presque 15 h 30 maintenant…

Au restaurant, à cette heure on rencontre des gens de toutes sortes, la plupart s'engueulent, nous on les regarde parce que nous n'avons presque pas le choix, ils parlent trop fort. Entre nous, il y a une appartenance, je découvre Robert ce soir et il ne m'a pas fallu beaucoup de temps pour comprendre que c'est quelqu'un de fantastique. Il est anglophone. Ça lui prend une bonne minute pour dire un pronom en français, il est hilarant et moi, je ne suis pas meilleure en anglais. Quelle conversation de fous! Sam rit de nous, il traduit, même si nous n'avons pas besoin de ses services. Ça se passe dans les yeux tout ça, on se comprend presque sans se parler. Robert est très mignon, mais il habite terriblement loin. J'espère que nous aurons l'occasion de nous revoir un de ces jours mais maintenant il est l'heure. Après la pizza, j'explique le chemin à Robert pour se rendre au motel; Sam et moi, on marche ensemble, on habite dans le même coin.

Je suis fatiguée, mais cette soirée m'a fait du bien, une soirée parfaite. Je dis bonsoir à Sam, il est 4 h 25 très précisément. Je monte l'escalier, j'entends une sirène, probablement un effet d'acouphène qui me reste de la soirée. Ça sent bizarre, vraiment pas important, je suis crevée, je vais me coucher le plus vite possible. J'entre, je vais à la chambre, je me dépêche de me dévêtir. Il faut que j'aille me brosser les dents, je fais vite. Enfin dans mon lit.

J'entends un vacarme! Quelqu'un essaie de défoncer ma porte? *Qu'est-ce qui se passe?* Je me lève d'un bond, je cours voir en enfilant ma robe de chambre. C'est mon voisin :

— Vite! dépêche-toi de sortir, on passe au feu!

Tiens, je ne m'attendais pas à celle-là! On est dans le pétrin, mais je ne m'en rends pas vraiment compte, à la limite, ça fait surréaliste. Je m'empresse de prendre mon violon, et mon appareil photo, ce sont mes deux objets de valeur; je passe ma main au dessus de mon meuble de chambre, elle a le réflexe d'agripper mes lunettes. Je descends, je cours réveiller ma voisine au premier, je frappe à sa porte si fort pendant que mon voisin appelle les pompiers et se dépêche d'avertir les propriétaires au premier. J'imagine qu'ils auront le temps d'éteindre le feu avec l'extincteur, c'est un petit feu de rien du tout; dans peu de temps je pourrai retourner dormir… Enfin, elle se réveille et sort, tout le monde est vivant, je traverse la rue, je souffle. Tiens, il me reste un film dans ma caméra, je le sors pour prendre des photos du feu qui commence à se faire sentir, je vois quelques flammes à travers les fenêtres et aussi… il y a des explosions? On dirait que le feu court partout dans l'immeuble; mais, ma parole, avais-je sous-estimé son ampleur? Je constate qu'il y a même des flammes dans ma chambre. En moins de 10 minutes, c'est incroyable! Et c'est là que je me rends compte que mon appartement est foutu! Je regarde le sinistre détruire mes plus grands biens. Je vois, à l'instant de l'arrivée des pompiers, surgir le valeureux photographe de la presse de cette ville. Il a tous les zooms et pellicules possibles. Il a cet air que je connais trop bien pour l'avoir rencontré plusieurs fois dans les spectacles. Hubert, son nom.

Il prend ses satanées photos mine de rien, a dû être réveillé pendant cette nuit :

« Allo? Rendez-vous avenue *Bonsecours*, il y a un spectacle défigurant, faites vite!

— Oui, oui monsieur, j'arrive immédia-tement. »

Je ne lui voue aucun prestige. Photographe à potins, muni de son pyjama ou presque, avec ses traits d'oreiller en plein front et surtout, un air hagard dans lequel on a envie de mettre son poing, indéfiniment.

Les propriétaires font une scène pas possible en pleine rue, sous les étoiles. J'avais un tas de démonstrateurs de produits musi-caux qui auraient pu me rendre célèbre!

Le photographe s'approche de moi, il me regarde en faisant semblant d'être empathique, ne sait trop que dire et en mettant sa main sur mon épaule me dit : « C'était ton appartement? Tu verras tout ira bien… » Je ne lui laisse pas le temps de poursuivre, je lui lance de mon ton le plus féroce :

— Tu ne te rends pas compte!

Non mais pour qui il se prend ce type dépourvu de sens artistique, il pourrait bien prendre en photo les badauds en chemises de nuit… Je n'ai pas envie de fraterniser avec lui, il est obligé d'être ici, qu'est-ce qu'il croit? Qu'il peut exercer son rôle en jouant au psychologue en plus?

Une voisine me demande si j'ai besoin de quoi que ce soit, je lui dis que j'aimerais bien appeler mes parents.

— Maman, tu ne pourras pas croire ce qui m'arrive, mon appartement est en train de passer au feu.

— Oh non!... Tu n'as rien?

— Non.

— J'arrive.

— Emmène-moi une de mes vieilles paires de souliers si tu en trouves.

C'est vrai, je n'ai plus rien à présent, plus de partitions, plus de brosse à dents, plus rien. C'est clair. Je regarde tout ça mais je n'y crois pas, c'est impossible. On est combien dans cette ville, soixante mille? Il fallait que ça tombe sur moi. Qu'est-ce que j'ai fait pour mériter ça? Qu'est-ce qui s'est passé? Le feu a pris chez mon voisin, a-t-il oublié quelque chose sur la cuisinière? Il semblerait que non. Est-ce criminel? Si c'est le cas, on a voulu me tuer? Heureusement que j'avais de bonnes assurances. Ça devait arriver comme ça, mais c'est désastreux, complètement catastrophique, je suis déboussolée. Ma sœur arrive avec son mari et mon neveu Marc-André. Elle me pleure dans les bras, je n'ai aucune réaction, je suis impassible, je ne réalise pas. Mon neveu et moi, on observe les pompiers qui font leur travail. Marc-André, qui a dix ans, me dit : « C'est le premier vrai gros événement dans ma vie! » Sa tante passe au feu, effectivement tous ces pompiers qui travaillent pour elle, c'est incroyable! La *Croix-Rouge* nous offre du café, pourquoi ne pas en profiter en regardant ce spectacle? Ils nous prêtent aussi des couvertures.

Finalement, une chance que je suis sortie cette nuit et que je suis revenue aux petites heures, moi qui dors toujours comme un loir, je serais bien morte en ce moment.

3.

J'ai mis la main sur la rampe d'escalier qui mène à ma chambre d'enfant. En montant, ma mère me demande :

— Que veux-tu manger demain matin?

Je ne veux pas ambitionner, mais, puisqu'elle prend la peine de poser la question, j'en profite quand même un peu.

— Des bagels aux brisures de chocolat.

Trouver ce délice est aussi difficile que de trouver une épicerie ouverte à cette heure.

Par miracle le lendemain, j'avais dans mon assiette ce que j'avais demandé. C'est quand même bien de se retrouver chez ses parents après un événement aussi tragique. Je ne suis plus seulement un dérivé d'eux, je crois aujourd'hui que je suis une case à part entière. Ce que je m'efforce d'expliquer c'est qu'avant de partir du nid familial, mes parents me considéraient seulement comme leur enfant et à présent je suis plutôt comme une adulte locataire faisant partie de la famille, ce qui est bien. J'ai dit à Sam, qui m'a téléphoné pour avoir des nouvelles :

« Avant, je n'étais qu'une ramille de leur chêne alors qu'aujourd'hui je suis un chêne tout comme eux.

— Rien de moins, tu ne pourrais pas être un bouleau? Ou un érable?

— Non, j'ai dit : un chêne. »

4.

Je trouve que ma vie est sans attrait. En fait, depuis le feu. Je sais, j'ai l'humeur ambivalente. Il y a quelque temps, j'ai sauté en parachute et j'étais exaltée de la vie. Je me retrouve aujourd'hui avec des idées sombres. Je suis morose, j'ai tendance à critiquer tout ce qui se trouve à proximité de moi. De plus, il y a cette fameuse fille aux cheveux noirs qui est dans le décor; j'ai encore des sentiments pour Phil, je n'ai pas fait une croix sur la grande aventure possible entre lui et moi, mais savoir qu'une femme partage peut-être son intimité me donne des frissons dans le dos. Cela me décourage… Je suis déprimée parce que j'ai tout perdu... même si c'était bien peu. Quelqu'un a dit : « Le jour où j'ai commencé à vivre intensément le bonheur est le jour où j'ai réalisé que je n'avais plus rien à perdre. » Je ne pourrai plus me contenir bientôt, les gens me tireront sûrement les pieds afin de me les remettre sur terre. Du moins, je l'espère.

J'avais une montre que j'adorais, je l'avais depuis très longtemps. Ça me fait vraiment de la peine de l'avoir perdue dans mon feu. Ma mère me demande si je veux aller voir les boutiques pour essayer d'en trouver une autre. J'aimerais avoir une montre pareil à celle que j'avais. Nous allons dans quelques bijouteries et tout ce que je vois me déprime, il n'y a rien de comparable à ce que j'avais. Finalement, avec une mine abattue, je me rends dans la dernière bijouterie que je vois, je me dis que je suis malchanceuse, que jamais rien ne pourrait remplacer ce que j'ai perdu. L'employée, une femme qui a l'âge de ma mère environ, me demande si j'ai besoin d'aide. Je lui dis que je cherche quelque chose de précis et que je doute qu'elle ait ce qui me convient. Ma mère et moi reparlons de mon feu pendant qu'on regarde les étalages de bijoux. Je dis tout haut en m'adressant à ma mère : « Jamais je ne retrouverai cette montre! Quel drame que ce feu m'ait tout pris ce que j'avais, je ne pourrai jamais m'en remettre! » Ma mère essaie de désamorcer ma frustration en me montrant des jolies montres qui se trouvent sous les vitrines et la femme me demande mes goûts et s'efforce de m'en présenter certaines qui pourraient me plaire. Mais je perds patience et je dis de façon catégorique : « Non elle ne ressemblait pas à ça, la mienne était bien plus belle. » La femme me regarde de façon très intense, elle devient frêle et des larmes jaillissent de son regard; elle me dit : « Tu sais, j'ai vécu un sinistre moi aussi. J'ai tout perdu comme toi, mais je dois te dire que j'ai failli perdre mes enfants, et ma fille a été brûlée par ce feu au troisième degré. Tu es bien chanceuse de n'avoir aucune séquelle aujourd'hui, tu as été protégée et tu ne sembles pas t'en rendre compte. Jamais tu ne retrouveras une montre comme celle que tu possédais, mais dis-toi que ce n'est que du matériel, tu es en vie! Si jamais tu veux voir les montres, je pourrai t'en présenter certaines; elles ne seront pas exactement comme la tienne, mais elles pourront peut-être te contenter quand même. » Elle avait de la peine à repenser à ce mauvais souvenir; ce qu'elle m'a dit m'a fait vraiment réfléchir, je me suis trouvée bien sotte de me plaindre, elle avait bien raison, j'aurais pu mourir dans ce feu; à cinq minutes près, j'étais morte. J'aurais pu être blessée, défigurée, j'ai été bénie en quelque part, j'ai eu le temps nécessaire pour me sauver. Elle avait bien raison, ce n'était qu'un objet.

Ce soir, j'ai décidé que j'allais faire de l'équitation. Le cheval est une autre de mes grandes passions. Monter à cheval est pour moi une thérapie. Louise partage ce même emballement pour l'espèce chevaline. Elle m'a téléphoné ce matin, sachant mes péripéties des dernières journées. Elle m'a dit : « Dandy, il est temps pour toi de t'évader, ton cheval est ton exutoire, Maestro t'attend à 18 h 00, je passerai te prendre. »

On arrive à l'écurie, je me sens déjà beaucoup mieux. Je brosse Maestro, lui nettoie ses quatre fers, je lui enfile sa selle et son mors. Ce cheval me connaît, c'est comme si avec lui, j'avais un lien particulier. Lorsque je suis sur son dos, je lui fredonne quelques airs et je débute toujours avec *Eine Kleine*

Natchmusik de mon idole, Mozart. Il y a avec nous, Nancy, je ne la connaissais pas avant ce jour, mais je la trouve très sympathique. Elle vient d'acheter Félix, un jeune cheval de quatre ans que j'ai monté une fois l'année dernière et que je n'avais pas trop aimé, car je le trouvais un peu nerveux, trop farouche pour me sentir à l'aise sur son échine.

Nous partons en balade et Nancy me raconte que, depuis l'acquisition de sa bête, elle a eu trois accidents à cause de ce cheval, dont un assez mémorable, en toute ironie, puisqu'elle s'est offerte une commotion cérébrale. Je suis surprise du fait qu'elle n'a aucune crainte à s'exalter allègrement sur ce danger ambulant, mais ne passe aucune remarque. Elle tient à faire passer Félix en tête du peloton afin de l'habituer à prendre confiance en tant que cheval-guide.

Après un certain temps au pas, toutes trois avons envie d'un petit peu d'action. Nous décidons de faire du trot dans l'intention d'enchaîner au galop.

Ya, ya, ya! J'avais oublié cette sensation de liberté, je me vois comme dans un film western où je suis la shérif du far-west tenant en poursuite les bandits s'enfuyant avec le magot des prolétaires. Je me sens vivre encore une fois et j'exprime mon état euphorique en proclamant : « Cela est la vie, cela est la vraie vie, la vie que j'aime! » Il y avait longtemps que je n'avais pas vécu quelque chose d'aussi intensément vivifiant. Cette sensation me ramène vers les réelles émotions extrêmes, celles qu'on cherche, qu'on voudrait vivre à chaque instant de notre vie. C'est encore de l'adrénaline qui me procure un effet de rapprochement avec mon âme et la façon dont mon corps se meut vers l'extérieur; enveloppe qui peut parfois être moins docile par rapport à mes pensées qui elles, imaginent, créent et apprécient davantage ce qui se passe autour de moi. Le paysage défile, je suis alerte, mes yeux voudraient voir dans un axe de 360 comme un oiseau. Les sabots de mon cheval claquent le sol, j'apprécie ce bruit, cette fréquence qui communique à mes sens que Maestro est un animal doté d'une intelligence exceptionnelle ici, maintenant. C'est moi qui dirige, mais c'est lui qui décide en subissant mes commandes. Je ne pense plus, je fais abstraction de toute idée, le vide. J'évacue ce qui pourrait me préoccuper. J'ai envie d'en profiter, je suis ouverte à tout ce qui pourrait se produire. *Finalement, je l'ai trouvée, ma thérapie!* En pensant cela, je constate un champ à notre droite, un bois à notre gauche, mais un petit chemin de terre que nous n'avions pas vu en plein champ. Félix, l'imbécile, décide, de son plein gré, de faire un virage déchaîné sur le petit chemin. Au grand galop. Je n'ai le temps que de me dire : *Bon sang, mais qu'est-ce qui se passe?* Maestro est bien entraîné pour suivre le cheval de tête et tourne lui aussi en coupant l'angle à quatre-vingt-dix degrés. Ma vision est embrouillée et le film, qui avait connu un bon début, se transforme en film d'horreur. *Je croyais que l'équitation était un bon remède, est-ce que je me serais trompée encore une fois? Moi qui croyais que ma vie changerait de couleur si je prenais les devants, qu'est-ce qui m'arrive encore? Bon sang de bordel!* Je me sens lever de mon cheval, les jambes arquées et je me dis, *ça ne fera pas mal.* Je lance tout un cri quelques secondes plus tard en me fracassant au sol parmi les plantations de mauvaises herbes. *Finalement, ça fait mal.* J'ai la hanche gauche meurtrie. Mon réflexe est de me coucher en position fœtale, tout en hurlant de douleur. Je sens un muscle en moi déchirer de façon verticale. D'une profondeur inconnue mais colossale s'ouvrant et se refermant. À chaque mouvement de flexion, on dirait une embrasure sciant mes nerfs au moindre tremblement de ma jambe. Le cheval derrière aurait pu me piétiner ou dans le même ordre, mon pied aurait pu rester pris dans l'étrier de sorte que Maestro m'aurait traînée dans le sable jusqu'à ce que mort s'ensuive. J'ai quand même un peu de veine de seulement me retrouver blessée. Louise a elle aussi fait une chute. Pendant que Nancy rattrape les chevaux, nous nous lamentons presque en pleurant. Je n'ai rien de cassé, car ma jambe peut bouger, bien qu'elle soit en compote.

Nous prenons près d'une demi-heure à essayer de souffler et comme nous sommes à environ à quatre kilomètres de l'écurie, je dois remonter sur Maestro, mais du côté droit, car je ne suis pas apte à utiliser la partie gauche de mon corps. Chanceuse dans ma malchance, mes deux bras ont été épargnés, le contraire aurait été catastrophique.

6.

Je me décharge tranquillement de ma joie de vivre. Ce qui veut dire que je n'aurai plus de façon avec qui que ce soit si ma hanche me promet encore des effets drastiques de contusion rendant ma convalescence invivable; elle est ingrate envers moi, moi qui l'ai tant fait courir dans sa vie. Je ne peux plus me supporter moi-même. J'ai perdu un amour, un appartement et une santé physique en parfaite condition. Je deviens affligée et me plains à chaque seconde que cette journée peut emmener, de ma situation accablante. Je n'ai ni visite ni appel réconfortant, je suis complètement seule dans mon malheur. *Qu'est-ce qui m'attend encore?* Cette randonnée à cheval m'a jetée dans un profond gouffre et j'ai de la difficulté à entreprendre une quelconque approche d'optimisme qui me ferait croire en un état plus favorable : je déprime. Me revoilà pire que ce que j'étais avant que le malheur ait décidé de s'acharner sur mon cas funeste. Il y a presque une semaine que je fais le relais entre la cuisine, le salon et la chambre; il ne faudrait pas que ça aille bien plus loin, car je ferais une crise d'hystérie monumentale. De plus, mon père et ma mère me font subir leurs interrogatoires perpétuelles en ce qui a trait à mes activités. Je me sens telle une adolescente qui a 15 ans, je me sens prise comme dans un filet. Ils passent leurs commentaires et me donnent

leur opinion sur tout ce que je devrais faire :
me tenir tranquille. Alors que c'est ce que je
fais depuis l'accident à cheval. Mon père, le
matin, fait cuire son bacon, ce qui me fait
sentir la friture dans mes cheveux, dans mes
vêtements toute la journée juste après que je
me sois lavée. Je ne sais plus quoi faire.
C'était bien beau au début, mais j'ai vraiment
hâte de me trouver un logis à moi toute seule.
Finalement, le chêne en a pris un coup. Il ne
faut pas que je leur en veuille, ils font leur
possible. Pour eux non plus ce n'est pas
évident, je bouleverse leur univers. Ils sont
habitués de vivre sans enfant à la maison et
maintenant que je réapparais, ça transforme
leurs habitudes, c'est une question d'adap-
tation. C'est quand même juste pour un temps,
celui que je retrouve mes biens et que je
puisse repartir à neuf avec l'argent des
assurances. J'ai bien hâte, je ne m'en cache
pas. Je suis certaine qu'ils ont hâte aussi, mais
ils s'efforcent de ne pas me le faire sentir. Ça
n'empêche pas que j'ai les meilleurs parents
au monde, je devrais leur dire plus souvent
que je les aime…

7.

J'ai une gigue prévue ce soir pour un souper-bénéfice, quoi faire? Si je ne m'y rends pas, les autres musiciens se verront contraints à jouer sans violon; ce serait très incommodant, je perdrais peut-être mon nom devant ces gens et aussi une belle somme d'argent. Dieu sait que j'en ai vraiment besoin ces temps-ci. En faisant un effort tout de même considérable, je suis capable de respecter mon contrat en m'y rendant. Je suis capable, je me décide.

Quand j'arrive, accompagnée de mes deux belles béquilles que j'ai louées depuis ma malencontreuse aventure, les autres me regardent comme si j'étais une extraterrestre sortie directement de la planète des estropiés. Je sais, je fais pitié, pas la peine de me le faire sentir davantage. Je leur explique ce qui m'arrive, ils m'écoutent comme si je leur transmettais un enseignement d'une importance incalculable. La seule leçon qu'ils doivent en tirer en est une d'humilité. On se rend compte que notre vie peut basculer du jour au lendemain même lorsqu'on croit qu'on a tout. Un incident peut bouleverser le courant de la tranquillité qu'on croyait ancrée dans notre existence, le bonheur tranquille est une utopie. Tout peut arriver à n'importe qui, toutes les possibilités sont là qu'elles soient positives ou néfastes à notre cheminement, mais chaque chose a sa place, comme le dégât que notre destin nous réserve inéluctablement. « Mais, vous savez, je suis zen… » Ils sont surpris de voir que je garde la moral même si je n'ai plus de toit hormis celui de mes parents, que je suis démunie en apparence. En fait, je garde le moral, devant eux, mais à l'intérieur j'ai des larmes que je m'efforce de contenir pour ne pas éclater. Je dois jouer dans un quart d'heure, comment y parviendrai-je? Je regarde la chaise sur laquelle je m'efforcerai de jouer; elle est si vide, comment pourra-t-elle transmettre la musique? Je n'y crois pas, cette chaise est bien trop dépouillée. Moi je suis habituée de jouer debout, ma musique n'aura pas la même portée, je le sais, je le sens. Il est l'heure, nous devons nous mettre en place. Que ce soit pour de hauts dignitaires que nous devons entretenir l'ambiance durant ce repas ou que ce soit pour des pauvres gens comme ceux à qui iront les profits, c'est la même chose pour nous. Seulement, notre musique n'est pas la même selon ce que nous vivons. Elle sera tellement mélancolique ce soir. Quoi de plus triste qu'un violon qui pleure? Je n'ai pas envie de faire mon spectacle. Je souhaite, par contre, que notre musique me fasse oublier, je veux m'évader. Peut-être qu'au fond, c'est la meilleure chose qui soit que je vienne me changer les idées, je n'en suis pas convaincue mais ce soir... Je dois briser le cycle du malheur qui s'acharne sur moi, quelque chose doit se produire, mais je ne sais pas quoi... *quelque chose, quelque chose...* une main tendue, un sourire, un clin d'œil, un espoir, un souffle...

Les musiciens se regardent : l'attaque initiale. Comme si on avait joué ensemble toute notre vie. La musique est hors de nous à présent, nous la donnons aux convives; ils semblent apprécier et comme j'avais souhaité, elle m'envahit à tel point que je n'avais soupçonné ses bienfaits. Je l'avais mal considérée; maintenant, je suis légère. Petite sensation de nervosité dans les deux premières pièces, comme à toutes les fois que je m'expose en public, mais grand relâchement pour tout le reste de la prestation, paix, contrôle absolu, sauf sur ce qui va se produire maintenant... je verse une larme. Elle coule jusque sur la mentonnière de mon violon, je suis si émue. *Qu'est-ce qui m'arrive?* C'est moi qui joue, c'est moi qui pleure, mais ma musique est tellement belle, et les autres ne s'aperçoivent pas de ma tristesse, mais tous constatent que le violon est plus présent que d'habitude comme s'il ressortait d'entre les autres instruments.

Les commentaires que j'ai après la soirée sont gratifiants, les gens se déplacent pour venir nous serrer la main, nous sourient, nous encouragent pour la continuation de notre talent et, tout à coup, je reçois un clin d'œil... Hubert. *Encore lui? Il ne peut pas me laisser en paix. Il est toujours partout.* Il se présente à moi officiellement pour la première fois : « Dandy, ta musique est comme une brise, un baume au cœur, merci. »

Pourquoi il me dit ça, que pense-t-il que je vais lui répondre? « Merci, tu es vraiment charmant. » *Ce qu'il m'incommode, ce gars-là, je ne sais pas pourquoi, son visage ne me revient pas...*

— Tu en vois beaucoup des spectacles pour réagir comme ça?

Oh! c'est bête ce que je viens de lui dire, surtout de la façon que je viens de le faire… Mais il garde son sang-froid, je crois qu'il va réagir.

— Je n'ai jamais entendu rien de tel, je voudrais te montrer une photo que j'ai prise ce soir. Rien ne se rapproche plus de l'extase que cette expression, à mon avis.

Qu'est-ce qu'il me dit là? Il a pris une photo de moi, qui se rapproche de l'extase? Voyons, qu'est-ce qu'il cherche?

Je regarde la photo, on voit dans mon visage la transformation d'un monde. Ma bouche veut émettre une prière comme pour embrasser le ciel, mes yeux sont près de la jouissance et on voit une larme du coin de l'œil. Je me souviens parfaitement de ce moment, c'est lorsque je me suis surprise à pleurer, deux secondes plus tard et la photo aurait été tout autre. *Cette photo est un chef-d'œuvre.* Je n'ose pas lui démontrer ma stupeur, je me trouve tellement belle, personne n'a jamais fait un aussi beau portrait de moi. De le voir ainsi, aussi emballé par cette image me fait étrange, il a saisi mon émotion comme si j'étais mise à nu devant lui. Il me dit :

— Dandy, je te connais, je t'ai vue souvent dans les spectacles et vraiment, tu joues très bien; c'est un plaisir pour moi de te photographier. Je regrette ce qui s'est passé pour ton appartement, si tu as besoin de quoi que ce soit, je travaille au journal, tu pourras me trouver là. »

Et il part. Je n'ai pas le temps de prononcer une seule parole, il m'a fait vivre une émotion intense en me montrant la photo. *Qu'est-il dans ma vie pour s'infiltrer de façon telle que je sente mon chagrin éparpillé sur une image, un morceau de ma vie sur pellicule? Il n'avait pas le droit, tout ça n'est pas si personnel à la fin.* J'aurais aimé lui expliquer comment je me sentais vraiment, mais je n'eus pas le temps, tout s'est passé si vite. J'ai vécu tout ça comme dans une sorte de ralenti, il n'y avait plus rien qui comptait autour. Après un spectacle, on est si sollicité qu'on ne pense presque pas à ce que les gens nous disent, on est pris dans un tumulte, mais là, les personnages nous avaient laissés tranquilles. *Mais pourquoi justement? Pour que je puisse profiter de ce moment le plus longtemps possible, le temps nécessaire et j'ai pu goûter au plaisir de me sentir unique, unique en ce souffle qu'avait été ma musique pour lui.* C'est moi qui dois le remercier. En ce moment, je sens un vide. *Comment a-t-il pu me laisser là avec un immense vide? Mais qu'est-ce qui se passe? Finalement, est-il moins insignifiant que je pensais?*

8.

      En me couchant, je sombre dans mes pensées. J'ai en tête l'amoncellement de tracas qui me poursuivent depuis un certain temps et le fameux photographe ne déloge pas de mon esprit. Je me demande quel est son mode de vie réel. Avant de lui adresser la parole, j'avais toujours eu comme impression qu'il se donnait un air incorruptible, il semblait si hautain. Et lorsqu'il y a eu mon feu, il s'est adressé à moi pour la première fois. Cette photo ensuite… Je constate que j'ai mal fondé mes jugements, je crois même que cet homme est probablement intéressant. Je n'arrête plus de penser à ce que je lui ai dit. Si j'avais accepté de lui parler, j'aurais eu une chance de le connaître.

      S'il a pu réussir une photo si évocatrice… de ce que je voulais transmettre par ma musique, un effet incroyable... une candeur immensurable... Son boulot me paraissait bien anodin, mais je remarque qu'il le fait avec un dévouement parfaitement louable et digne d'un professionnalisme exceptionnel. S'il a pu me faire chavirer, moi-même, de cette façon... seulement en me photographiant, moi? Aurait-il la capacité de rendre son travail, finalement, en œuvre hautement artistique, aussi reconnu par ses sujets? Irait-il jusqu'à leur voler leur âme? Personnellement je reste pétrifiée, comme obnubilée. Je ne sais quoi penser... Je regrette, j'ai été drastique en lui répondant, je lui ai fait savoir qu'il me dérangeait alors qu'il voulait partager quelque chose de sanctifiant à mon égard. Il a fait un pas et moi, j'ai reculé en croyant qu'il était un abruti. Mais l'est-il? Je me suis fait des idées par son apparence, je ne pensais pas qu'il pouvait faire preuve de sincérité, il semblait doux et conciliant même lorsque je l'ai presque envoyé paître. Au fond, je n'ai pas été si dure? Oui? Serait-il parce qu'il a un béguin pour moi? Impossible. Mais pourtant, il m'a dit en partant : « Tu sais où me trouver, au journal... » Est-ce un piège? Mais ma parole, je divague? D'ailleurs, il a remarqué mon talent, il me l'a dit... « Je te vois souvent dans

les spectacles, j'aime te photographier… »
C'est ce qu'il m'a dit ou je déraille? Il a su
reconnaître ma musique, ma passion, ce qui
m'interpelle le plus au monde…

Je dois dormir, je penserai à tout ça
plus tard, demain. Mais est-ce que j'aurai
l'occasion de le revoir? Sûrement. Je lui
expliquerai comment je me suis sentie par
rapport à cette photo. Et puis non. Ce n'est
qu'une photo. Il n'est pas si mal cet homme…
il a de la classe quand même, il ressemble à
un… gentleman. Je me demande quel âge il
a… Il n'a sûrement pas plus de trente ans…
Finalement, on se ressemble un peu lui et moi,
on aime bien tous les deux les spectacles…
Non, non, il n'aime pas les spectacles, il est
obligé d'y assister. Je fabule, je me fais des
idées, je n'ai quand même pas envie de penser
à cet inconnu qui galère de soirée en soirée
seulement pour le plaisir de rapporter tout ça
dans l'hebdomadaire de la ville. Ce n'est pas
un processus de création, c'est du tape-à-l'œil.
Mais cette photo qu'il a prise de moi, est-ce
qu'il la mettra dans le journal? Sûrement pas.
Il l'a prise pour le plaisir alors? Seulement
pour lui? Eh bien… c'est de l'art ça! Il n'est
pas seulement journaliste à ragots, il exerce sa
passion. C'est beau la photographie, moi aussi

j'aime capter le moment dont on se sou-
viendra. Maintenant je dois dormir... Il est
pas mal...

9.

Ce matin, je me suis réveillée avec un
rêve bizarre en tête. J'avais des palpitations.
Pendant la nuit, j'étais dans un train jouant du
violon pour une petite fille et étrangement
Hubert, le photographe, était assis dans le
wagon où je me trouvais. Il regardait par la
fenêtre le paysage qui défilait. Parfois, il me
balayait des yeux s'imaginant que je n'en
avais moindrement conscience. J'ai toujours
pensé que ma vie était comme un train. Il y a
quelque chose qui cloche? Je change de train.
Mais dans mon rêve, je restais. J'en ai cherché
le sens. Est-ce que nos vies seraient juste
assez différentes et juste assez semblables
qu'elles seraient possiblement parallèles? J'ai
fait du transfert sur lui, je l'ai vu comme un
opposant. Il est venu prendre ses photos pour
mon feu et je l'ai rangé immédiatement du
côté des perturbateurs; j'aurais craché sur tout
le monde à ce moment, j'aurais même pu
accuser les pompiers, je m'en rends bien
compte. Il ne m'a fait aucun mal. Que j'aie
rêvé à lui dans ces circonstances me laisse

perplexe. Ça y est! C'est un signe! Le signe est là! Il faut que je répare mon geste. J'ai quelque chose de concret à aller chercher dans cette situation, les rêves ne mentent jamais. C'est un appel que l'univers me lance, c'est sans équivoque.

Pourquoi ne lui enverrais-je pas des petits violons en chocolat? Je n'aurais qu'à me présenter au journal et donner la boîte à la secrétaire en prenant soin de lui adresser un petit mot du genre : *Toutes mes excuses, je me réitère en acceptant une invitation à souper.* Non, il croirait que je suis une de ces femmes qui a trop d'attentes, il croirait que je veux rire de lui…

Toutes mes excuses pour le malentendu, j'aimerais bien que tu m'offres une seconde chance, si on allait souper…

Vraiment, je suis un piètre écrivain…

L'histoire s'écrit d'elle-même, si on effaçait ce petit chapitre pour en écrire un nouveau?

Non, il croirait que je veux faire de la poésie…

Rendez-vous Café d'Ében 19 h 00 jeudi.

Voilà le plus simple et le plus expéditif, je ne suis pas obligée de mettre de la dentelle et de me morfondre en excuses. Je n'ai pas été si bête après tout, je n'ai qu'agi sur le coup de la colère; il faut dire que je vivais un terrible drame à ce moment-là.

10.

Avec un peu de volonté, je réussis à me lever et à marcher. Pour me changer les idées, je décide d'aller faire un tour à la bijouterie de la dernière fois. Je trouve un appareil photo miniature avec une horloge au centre de son objectif, c'est un autre signe! Je l'achète en pensant que cela ferait un beau cadeau à Hubert, car il me perturbe. Je ne sais la raison, mais il me préoccupe depuis peu. Il y a quelque temps Phil, le parachutiste, occupait la place dans ma tête. Tout s'est précipité, Hubert a chamboulé ma perception des choses. Il est arrivé de façon impromptue et a causé la révolution dans ma flamme.

Il est possible que j'aie été prise dans une impasse avec Phil. Quand je l'ai vu au bras d'une autre je me suis surprise à avoir un sentiment de malignité face à cette fille, malgré moi. Et voilà qu'arrive ce photographe qui me démontre de la sympathie, cela entraîne chez moi une sorte de curiosité; j'ai envie de provoquer à mon tour une rencontre. Je veux savoir de qui il s'agit vraiment. Je pourrais lui envoyer ce présent et inscrire en petites lettres un mot doux de façon anonyme. Certains diraient que ce n'est plus de notre époque. Mais justement, il nous manque aujourd'hui peut-être quelques attentions qu'on considérait autrefois comme étant romantiques. J'ai du temps, je veux le revoir seulement dans des circonstances exception-nelles.

Chapitre trois

1.

L'automne… Saison que je ne suis pas capable de sentir ou alors saison où il n'y a que les feuilles que je suis capable de sentir… La rentrée scolaire, je déteste l'automne. Ça me rappelle mes jours tristes. Ceux-là où à l'automne de mes 17 ans j'ai été refusée au conservatoire. Je travaille maintenant dans une école qui n'a pas besoin que je sois une virtuose en musique. J'aurais aimé jouer dans un orchestre reconnu de par le monde entier, j'aurais aimé être interprète et non enseignante. Je me voyais donnant des concerts en Italie, en Autriche, dans des salles qui inspirent le silence, mais surtout les apogées teintées d'éclats que procure une interprétation fabuleuse, jouée avec prestige. Je me voyais au bras d'un grand chef d'orchestre, moi élève, prête à tout imbiber de l'enseignement, je me voyais comme dans une œuvre magistrale, un grand musicien aurait écrit pour moi une symphonie ou un aria. J'aurais voulu être une déesse ou même seulement une reine.

2.

Hier soir, j'ai assisté à un concert sensationnel. C'était une pièce de Beethoven, la sonate no 9 pour « Kreutzer ». C'était vraiment impressionnant. J'aurais écouté ces sautillers tout le reste de ma vie si cela avait été possible. Cela me donnait une jouissance au niveau des oreilles qui se répercutait sans réserve dans mon cerveau. Parfois je fermais les yeux et ma réceptivité était différente. Les yeux ouverts, je ne pouvais qu'être subjuguée par le talent du violoniste. J'imaginais les parents de cet homme, la fierté qu'ils doivent avoir en écoutant leur fils jouer de cette façon si magistrale et exprimant un maniement de précision dans toute sa splendeur. Les yeux fermés, je m'imaginais des tas de choses. De belles choses. Une onde partant de mon thorax jusqu'à ma gorge laissant naître en moi une certaine nostalgie enchevêtrée d'un sentiment de confiance face à l'avenir. Cela imprégnait en moi les marques constantes du bonheur et à chaque expiration : un soulagement. Une paix intérieure difficilement exprimable qui ressemble aux rires d'un enfant lorsqu'il voit les clowns d'un grand cirque jongler devant lui. La musique était enivrante et déclenchait des sujets de pensées profondes : la façon dont je me perçois, le fait que j'aie besoin d'un changement imminent au niveau de mes objectifs de vie, de mes aspirations professionnelles et dans ma relation avec mes proches. Je ne peux m'empêcher de rêver, je dois prendre chaque chose en son temps, je crois que c'est une valeur que je dois apprendre à travailler et l'ai réalisé une fois de plus en écoutant ce concert hier soir, je n'aurais voulu pour rien au monde être ailleurs à ce moment.

3.

Je me suis décidée à envoyer l'appareil à Hubert au journal. J'ai engagé une amie pour réaliser cette mission. J'ai écrit : *Un photographe doit posséder les outils pour voir ce qui l'entoure. Votre espionne numéro Un.* Je m'étais cachée au coin de la rue en observant ma complice. Il ne pourra pas me retrouver ni savoir de qui ce cadeau lui provient, il est sans ressource. J'aime beaucoup jouer à l'espionne.

Je crois que cette marque d'estime lui fera plaisir. C'est une petite surprise de la vie et savoir que quelqu'un pense à soi est flatteur. Même s'il ne se passe jamais rien avec cet homme, même si je ne le croise plus jamais sur mon chemin, je saurai que j'ai contribué un jour à le faire sourire. J'espère quand même qu'il ne prendra pas cela trop au sérieux. Il doit être assez brillant pour savoir qu'il ne se fait pas espionner pour vrai, que c'est seulement une cinglée qui s'amourache de lui et qui a envie de le conquérir. J'espère non plus que cela ne fera pas scandale dans les journaux :

Quelqu'un a tenté d'approcher le photographe du journal en lui faisant parvenir un objet non identifié. On a dû évacuer le personnel de tous les bureaux croyant que cela masquait un attentat à la bombe.

4.

La lune est pleine ce soir-là, mais la mer n'est pas si tranquille, car j'imagine déjà les vagues qui se répercutent sur nos deux êtres. J'ai vu la première partie du spectacle que je trouve assez ordinaire et me précipite hors de la salle à l'entracte sachant pertinemment qu'il va intervenir pour son travail. J'attends patiemment sa venue, un verre à la main. Au bout d'un certain temps, je crois que l'instant magique ne viendra pas. Je suppose qu'il est déjà passé et qu'il a pris ses photos sans que je m'en aperçoive bien que j'aie observé dans le noir s'il n'y avait pas quelques flashs retentissants çà et là dans la salle. Je pourrais me fourvoyer quand même. Je décide d'aller prendre l'air au-dehors et lorsque j'arrive aux portiques, je le vois apparaître devant moi. Cela crée un soubresaut et mon cœur s'arrête de battre, je ne peux même pas articuler quelque chose qui fait du sens, sous le choc, je bafouille :

« Bon-bon-bon-j-j-jour…. »

Je veux passer mon chemin, et dans une idiotie semblable et aussi consternante, je me cogne le front contre la porte vitrée. Enfin, quand je parviens à l'extérieur, je souffle un peu en reprenant mes esprits et je suis au paroxysme du découragement. Je revois la scène… l'impression d'abrutie que je lui ai laissée. Vraiment, je n'aurais pu trouver mieux pour avoir l'air d'une fille sans cervelle, incapable d'engager une simple conversation, incapable de laisser une marque charmante dans le souvenir de cet homme qui révèle de façon évidente, une certaine luminosité.

Je prends quelques inspirations en le regardant du coin de l'œil, de l'extérieur et quand je reviens, je m'installe près du vestiaire où je peux l'observer à travers la foule. Chaque fois que je le balaie des yeux, je remarque qu'il ne détache pas son regard de ma personne. En préparant ses caméras, il lève la tête vers moi et je me demande s'il se pose des questions à savoir si je suis l'inconnue qui lui a fait parvenir le cadeau la semaine dernière. Il est d'une transparence dans son expression tant que cela ne me surprendrait pas de le voir arriver près de moi en me disant : « Est-ce que c'est toi? »

Les gens entrent dans la salle. Je flâne un peu en faisant semblant de finir mon verre. Nous sommes les deux seuls dans l'interstice de la musique. Il m'octroie d'un signe de reconnaissance. Gentiment, il fait une révérence de la tête et je peux faire une lecture labiale parfaite de son murmure qu'il m'adresse en souriant :

« Bonjour. »

Il entre par une autre porte que la mienne et je trouve que le spectacle n'est pas si mauvais après tout. Sûrement que l'état dans lequel je me trouve crée une beauté par tous les sens. Ce simple petit mot me rend joyeuse et en ce soir de pleine lune, je penserai à lui en me couchant dans mon lit.

5.

Il faut trouver un deuxième plan. J'essaye d'appeler à son travail pour me procurer son adresse Internet :

« Bonjour, ce serait pour avoir une information, est-ce que ce serait possible d'avoir l'adresse électronique du photographe Hubert?…

Elle me coupe de façon révoltée :

— Non, non, non! Il n'est pas question de donner l'adresse d'Hubert! Je peux prendre votre nom et numéro, il vous rappellera…

Je ne prends pas mon temps pour raccrocher.

— Merci, au revoir! »

Je suis prise au dépourvu. Aurait-il parlé de l'incident du colis à tout le personnel du journal? Je me mets à angoisser. De la façon dont elle a réagi, elle semble penser qu'il est sollicité par des maniaques! Et lui, comment a-t-il réagi?

Deux petites minutes plus tard, je me souviens que je suis plus efficace en temps normal et que ce n'est pas cette secrétaire qui me mettra des bâtons dans les pattes. Je me rends chez Louise qui prend quelques photos de moi.

6.
« Tu n'as pas fait cela? Tu es plus folle que je croyais! »

L'identité de l'inconnue mystérieuse peut-être sera dévoilée. Écrivez à cette adresse si cela pique votre curiosité. Signée la sinistrée.

— Tu t'es fait une adresse à cette attention? me demande Jean.

— Oui. Et je lui ai envoyé une photo de moi, de dos, à contre-jour pour qu'il ne me reconnaisse pas.

— Cela m'intriguerait tellement que je répondrais immédiatement.

— Alors, il n'est pas pressé, ça fait de cela deux jours déjà.

— Je ne suis pas tous les hommes et il est normal qu'il te fasse patienter. Toi, tu l'as fait attendre depuis le cadeau.

— Tout cela m'énerve, c'est comme si j'étais nerveuse vingt-quatre heures à la fois. Je dépense trop d'énergie pour mes histoires amoureuses; ce n'est pas très sain, il faudrait peut-être que j'aille consulter.

— Minute, c'est certain tu aimes la musique, mais ce n'est pas ton violon qui te donnera une famille. Tu as 26 ans, Dandy, tu es encore jeune, mais tu aimerais bien dormir avec quelqu'un, c'est compréhensible.

Jean se dirige vers la cafetière qui a terminé de verser l'élixir, il me sert une tasse et reprend :

— Tu sais, Dandy, je te dirais que tu as de la chance d'avoir une si belle préoccupation, c'est un beau passe-temps, l'amour... Il s'agit que tes coups résonnent dans des oreilles qui peuvent entendre. Tu ne le connais pas, tu ne peux savoir si ce garçon a ton sens de l'humour; si jamais ce n'est pas le cas, alors tu sauras qu'il n'en valait pas la peine ou alors il est trop timide pour te répondre. Et n'oublie jamais ça : tout est possible et de façon instantanée. Tu ne savais pas ça?

Jean, c'est toujours lui que je vais voir en premier quand j'ai une histoire avec ou sans pépins.

7.

Je reçois quelques jours plus tard un message en ouvrant mon ordinateur à l'adresse de la sinistrée. C'est encore plus étrange que je ne l'aurais cru. *La prisonnière devra attendre à la fenêtre de son château.* Cela me fait penser au livre d'Hubert Aquin : *Prochain Épisode*. Je le prends donc ce matin-là en rompant l'ennui, un verre de jus de pamplemousse à la main. Il sait alors qui je suis et veut lui aussi me faire entrer dans sa danse, mais je ne sais pas ce qui m'attend.

Je me rends à l'école, mais je ne suis pas dans le même état d'esprit qu'à l'habitude; je me sens espionnée, tout me paraît étrange. J'ai vu au moins deux camions de la presse de la ville passer devant l'école. Mais qu'est-ce que c'est que cette histoire? Louise vient me voir en me félicitant pour mon concert de la soirée-bénéfice. Je dis : « Merci mais… comment tu as su?

— Je l'ai vu dans le journal ce matin.

— Quoi? »

Je me précipite à la salle du personnel pour aller voir le journal en question. Je suis si énervée. A-t-il mis ma photo? Je m'imagine sur la une, déjà célèbre par mon immense charisme. C'est donc ça, le château, le sommet de la gloire, c'est une métaphore… assez subtile, mais quand même… et la prison est sûrement le relent de la critique, moi innocente, prise par le tourbillon des éloges ne sachant comment composer avec les médias, ma prison personnelle, quoi! Je prends le journal au centre de la table en poussant les miettes des professeurs qui avaient pris quelques muffins avant d'amorcer leur journée. La rentrée est un moment difficile à passer, un stress obligé pour tous les professeurs; certains aiment bien décompresser en appréciant leur café, le petit matin.

Il ne faut pas me distraire, j'ai une mission, trouver l'énigme, la clé du mystère. Mais non, ma photo n'est pas sur la couverture. Un peu déçue, je fouille parmi les tabloïdes où Louise aurait pu entendre parler de moi… Je ne vois qu'un tout petit article qui mentionne que les musiciens de la soirée se sont efforcés de rendre un spectacle-bénéfice des plus enivrants… et on nomme les organisateurs dont la photo est mise en annexe. Louise a donc été bien informée pour savoir que j'ai participé à l'arrangement musical; je devais le lui avoir souligné sans m'en rendre compte, ma photo ni même mon nom ne font objet d'aucune remarque. Je me rends toute penaude à ma classe et cherche encore quelque signification quant au message que j'ai reçu en me levant. Je tressaille, car une tension parmi les élèves est notoire. On aurait dit qu'il se préparait une tempête au cœur du mois de septembre. Pourtant c'est mon état fébrile qui rend l'enseignement si différent. Chaque geste brusque, chaque intonation un peu plus saugrenue me rendent sur le qui-vive.

Décidément, cette journée a été aliénante et, lorsque je rentre chez mes parents, je suis complètement surmenée. Je me demande quel a été le but de toutes les circonstances, que j'ai jugées inopinées comparativement aux autres jours. Je me suis même sentie un peu paranoïaque, mais rien n'a fait en sorte, dans une vision globale, de me donner du fil à retordre, sauf mes préoccupations peu habituelles. C'est alors que, distraitement, par la fenêtre, je remarque une voiture style Opel qui s'est stationnée devant la clôture de mon voisin. Je reprends mon livre de la matinée, jusqu'à ce que je constate que l'homme au volant de la voiture n'en sort point. Je l'observe, il attend je ne sais quoi. Au bout d'environ une demi-heure, je commence à me poser quelques questions sur cet individu aux allures étranges. Je ferme le store et avec mes doigts je me fais un petit entrebâillement de sorte de pouvoir l'examiner à ma guise. Il reste. On dirait qu'il feuillette une revue. Je remarque qu'il est svelte, porte une veste kaki ainsi que des verres fumés. Je vais chercher mon appareil photo et avec l'aide du téléobjectif, je réussis à cibler l'homme mystérieux. Je me rends compte que c'est moi qu'on espionne. J'attends encore un certain temps, mais je n'en peux plus.

Je prends un manteau et je me précipite à l'extérieur. Je me dirige vers la voiture et je cogne dans son pare-brise. Une fois, plus près de lui, je me rends compte qu'il a une moustache. Il n'est aucunement déguisé. Encore une fois je me suis construit quelques idées à l'aspect assez douteuses. Il me dit : « Qu'est-ce que vous voulez? » Je ne sais quoi répondre. Il me fait comprendre qu'il attend sa femme qui a une réunion quelconque (peut-être une démonstration de petits plats ?) qui se trouve chez le voisin de mes parents. Je ne veux pas en savoir davantage, j'ai envie de crier, j'ai été stressée toute la journée à cause d'un supposé espion. J'en ai vu partout. Toute cette tension m'a emmenée au summum du découragement. Je m'éloigne de la voiture pour reprendre enfin mes esprits, une main se pose sur mon épaule. Prise dans un sursaut terrible, je me retourne de façon désinvolte et, devant moi, se trouve enfin un individu significatif : Hubert. J'entends une musique cinématographique dans ma tête, un terrible suspens me fait face.

L'homme qui est là n'est nul autre que mon Hubert à moi. Il me sourit et je reste, une fois de plus, pétrifiée.

— Alors, c'est toi l'espionne numéro un?

— C'est toi le maniaque qui s'amuse à me faire vivre des émotions de toutes sortes?

Il éclate de rire et ouvre ses bras. Après une légère hésitation, je me réfugie dans son cou. C'est comme si nos deux êtres en symbiose se retrouvaient après plusieurs vies de recherche. Je suis émue, il pose sa main sur ma tête, ses doigts caressent doucement mes cheveux dorés. Il se penche sur ma bouche et nous nous embrassons en tremblant tous deux des lèvres sans se poser de question. Il se dirige vers la portière du passager de sa voiture qui se trouve à proximité, celle-là même que je n'avais pas remarquée, l'ouvre et me laisse pénétrer à l'intérieur galamment. Je me suis dit que je ne pouvais travailler ni pour la CIA ni pour le Fédéral Bureau d'Investigation, je n'ai même pas vu la voiture qui ressemble, finalement, presque à un char allégorique.

Nous avons largué la vie normale à cet instant. Comme deux complices nous sommes partis en voyage pendant une soirée entière. Seuls sur le globe, nous avons roulé sur des routes inconnues en se parlant sans arrêt. C'est comme si après les pas que j'essayais de poser devant moi depuis des lunes, il était la comète qui m'avait prise à sa charge pour qu'enfin je puisse avancer sans frein.

Chapitre quatre

1.

C'est la plus belle journée depuis mon arrivée dans ce monde! Je suis amoureuse, c'est un coup de foudre électrique. Il dit que le petit appareil photo est sur le bureau dans sa chambre, il m'a remerciée, il était si content. Je trépigne, j'émane, je suis réincarnée! Je ne veux pas trop m'enflammer, mais c'est ça, l'amour! Nous sommes allés au restaurant, tout tournait comme dans un film. Il y avait plein de personnages, c'était étourdissant mais toujours la belle conversation avec Hubert. C'était la trame, le centre. Tout était relié à ses yeux. Ses yeux m'absorbaient et j'oubliais tout autour. Il faut que je retombe les deux pieds sur terre, car, pour l'instant, je vole. Quand il est venu cogner chez mes parents pour m'inviter, mon cœur battait plus fort qu'un moteur d'avion. J'avais des frissons dans tout le corps. Le meilleur de ma vie est en train de se dérouler. Tout ce que je vis présentement est plus important que ce que j'ai vécu jusqu'ici. J'ai l'espérance que cette relation soit la plus belle, la plus harmonieuse pour moi. Je le croyais inaccessible, je le vois comme une étoile. Et maintenant, je lui touche. Mon Dieu que ma vie est resplendissante! Maintenant, j'aimerais vraiment apprendre à le connaître. C'est inouï! Je suis la plus chanceuse au monde! Hubert est mon joyau, mon diamant, mon trésor, mon élu, ma prunelle, mon roi, ma réussite, Hubert est tout pour moi! Il est aussi important que moi-même. J'espère qu'un jour il saura tout ce que j'éprouve pour lui. Je voudrais lui offrir une maison sur le bord de la mer, un bateau, un cheval, un studio de photo, je voudrais être, moi aussi, son étoile. On est allé dans un restaurant très chic, on a tout commandé à deux : une entrée à deux, un repas à deux, un dessert à deux, on a tout partagé! Sous la table, nos pieds se touchaient et on les laissait comme ça, un état de confort… On discutait de tout, je sentais un courant passer à travers le fil imaginaire qui nous reliait, qui reliait nos deux êtres illuminés. Je crois que nous sommes restés trois heures à table à se raconter nos vies. Il a été en Afrique trois fois, il avait un oncle missionnaire là-bas et l'été, il fait du kayak. Il m'a dit qu'il en avait déjà fait l'hiver à travers les glaces. Je l'imagine, il est si élégant, il est d'une beauté incommensurable. Nous n'étions qu'à deux pieds de distance, seulement la table nous séparait et j'aurais eu envie de foutre cette table au bout de mes bras pour me rapprocher de lui davantage. Il me dit que j'ai un sourire exceptionnel. Il est charismatique et il s'habille bien. Il a du goût. Il a un corps svelte tellement élancé, c'est un être remarquable avec une distinction hors du commun. Quand l'addition est arrivée, il a dit : « C'est moi qui t'invite, car tu m'as fait de beaux cadeaux : l'appareil et ta venue dans ma vie. » Il m'a prêté des mitaines, nous avons marché sous la première neige, c'était si romantique. Nous sommes passés devant une vitrine et il y avait un petit train électrique. Dans cette boutique on pouvait voir qu'il y avait des robes de mariée, on a observé le train et Hubert m'a demandé : « Est-ce que tu veux te marier un jour? » J'ai dit, un peu prise au dépourvu : « Je sais pas. » Pourtant, j'aurais dû lui dire que je pourrais me marier avec lui demain matin s'il le souhaite. Je me vois toute la vie avec lui.

Ensuite je lui ai dit : « Toi, t'es-tu déjà marié? »

Il me dit : « Non. » Je n'en croyais pas mes oreilles; j'ai dit : « Tu ne t'es jamais marié? Jamais? » Comme s'il venait de m'apprendre quelque chose d'impossible. Alors j'ai eu le cœur gonflé, tout reste à faire, tout peut se réaliser. Nous sommes allés sur la promenade des Érables, nous avons marché sur le bord de l'eau et, pour monter les escaliers enneigés, il m'a tendu la main; je l'ai conservée dans ma menotte, je ne l'ai plus lâchée. Sur la rue, on a reparlé de nous, il m'a redemandé pourquoi j'avais envoyé ce petit appareil à son travail. Je lui ai dit qu'il m'intéressait sérieusement. Il était tout joyeux. Il est venu me reconduire chez moi et nous sommes restés 45 minutes à parler sous la neige; on ne voulait pas se quitter, on aurait aimé que cette soirée dure encore et encore, c'était si difficile de se dire au revoir…

2.

Le cinéma… j'adore le cinéma. Je sais qu'il y a des projections de vieux films dans un cinéma au centre-ville. Ce que je veux, c'est que, Hubert et moi, on regarde un film sans vraiment le regarder ni l'écouter, qu'on en profite pour s'embrasser dans les dernières rangées comme lorsque je sortais avec des garçons vers 13 ans et qu'on n'avait aucun endroit pour pouvoir profiter du plaisir de s'embrasser.

Alors on choisit un film au hasard. Hubert et moi, on entre. C'est parfait, il n'y a presque personne dans la salle. On écoute les bandes-annonces. Je suis bien, il fait noir, dans mon siège, je me sens comme dans un vieux fauteuil. On se fait des yeux amoureux. Je lui offre du chocolat noir. On discute en attendant.

Le film commence. On voit deux gars qui découvrent un cercueil. Il y en a un qui se couche à l'intérieur. Ils se retrouvent soudain dans une salle où il y a beaucoup de filles. En deux minutes, c'est la bacchanale, ça n'arrête plus, les filles se frottent, les gars jubilent. Hubert et moi, on se regarde dégoûtés. Ce n'est pas très inspirant comme première sortie au cinéma. En même temps :

— On s'en va?

Notre première télépathie.

Nous marchons dans les avenues. On reste impressionnés devant un arbre immense. J'ai déjà vécu ce moment... Comme si j'y avais déjà rêvé. Ça m'arrive parfois de me demander si je vis comme dans un rêve. Il paraît que ça signifie qu'on est exactement où l'on doit être. Que les circonstances sont bonnes peu importe ce qui s'est passé auparavant. Avec Hubert, je considère ce moment comme imperturbable. Je sens avec lui, devant cet arbre, les particules d'amour qui s'en dégagent. Et nous rentrons vers chez lui.

3.

Je me suis trouvé un appartement près de la promenade des Érables. Il est situé juste au-dessus de la caserne de pompiers, hasard ou manifestation de mon subconscient? Peut-être la recherche d'une certaine protection. Je les adore, mes parents, mais vivre avec eux ce n'est pas une mince affaire. Ils ont été là pour moi, ils m'ont supportée le temps que le vent tourne pour moi. Tout est bien comme ça. Hubert m'a aidée à organiser une chambre noire dans une des pièces de mon petit logis. Je peux me payer tout ça, car j'ai enfin reçu l'argent de mes assurances. Hier, j'ai développé un film que j'avais pris lors de notre excursion en montagne la semaine dernière. Il était environ 10 heures, je sentais qu'il se tramait quelques palpitations au cœur de l'atmosphère en cette soirée fraîche. On cognait à ma porte. Je ne pouvais répondre, j'étais en plein travail. J'avais fait mes planches-contacts, j'étais sur le point de voir l'image glacée. J'ai vu apparaître le visage de mon élu. Une bouche a pris forme, devant mes yeux à moi, un éclat dans son sourire comme un appel. Des cheveux en broussailles qui faisaient resurgir ce matin aux plaisirs intacts et le vent fougueux de la montagne. Quand l'image parfaite du portrait de l'aimé est apparue, je l'ai mise dans le fixateur. Une fois le travail accompli, j'ai ouvert la porte, je me suis dirigée au seuil de mon chez-moi et j'ai vu ce même visage qui m'attendait patiemment. Dehors, une tempête. Et Hubert apportait avec lui les éclats de son cœur qui ne battait qu'en raison de moi. Je me sentais pareil à une acrobate faisant du trapèze dans sa poitrine pétillante qui réagissait de mes provocations et de mes frétillements. J'étais si basculée dans cette passion brûlante, on aurait dit une clé de sol qui prenait forme à l'intérieur de mon ventre. Il m'a foudroyée d'un regard invitant et nous nous sommes compris au même instant. Je l'ai pris par la main, je l'ai entraîné à pas diligents vers ma chambre.

Tranquillement, nous nous sommes dévêtus, sans mot, sans bruit. En un étalement de nos corps, en toute chaleur, nous nous sommes aimés dans mon grand lit. Hubert m'a susurré à l'oreille un mot gentil : « Je t'attendais depuis fort longtemps… » J'ai posé ma main sur sa peau intacte, aucune blessure. Nous étions empreints l'un de l'autre et en ce moment de grâce, nous ne pensions qu'à nous et à notre désir de proximité.

4.

Quand il est couché près de moi dans mon lit, je ne peux dormir. On se caresse, on fait des jeux, on danse l'un sur l'autre, mais, lorsqu'il trouve le sommeil, moi je reste éveillée. C'était comme ça la première fois et c'est comme ça toujours… Lui, il rêve et moi, je remue des images, j'entends nos ébats tout au long de la nuit. Je pense à des projets, j'ai des ailes même couchée, je flotte sur un nuage juste au-dessus de lui. J'écoute son cœur, je sens ses battements, j'imagine qu'il vivra toujours comme ça, avec moi, pour la vie. Et lorsque j'entends les oiseaux qui piaillent vers 6 h 00, j'ai hâte qu'il se réveille. Je sens sa petite paupière gauche qui émerge d'un rêve profond. On rit d'un détail, ça commence bien la journée, on se raconte des belles histoires pour l'amorcer, nos moments intimes. Il est si beau quand il rit, il a de belles dents blanches, il sent si bon, c'est facile de se sentir bien près de lui. Et quand on se lève, on prend le temps de s'observer, d'imprimer les particularités de nos corps épuisés. On s'habille lentement comme si on méditait. On déjeune, on se souhaite bonne journée et nous partons travailler chacun de notre côté. Moi à l'école, lui dans l'actualité.

Après une nuit passée avec lui, c'est facile de travailler. Il y a parfois un instant dans la journée où je peux me permettre de nous revoir comme dans un songe, refaisant l'amour... je revois la scène au ralenti, en accéléré, mais c'est toujours trop court. Bien vite il faut que je cesse de me projeter ces images, j'ai des préoccupations imminentes, je dois oublier jusqu'après les classes ces moments privilégiés que constituent mes nuits avec lui.

5.
Hubert doit travailler, mais il veut passer du temps avec moi, alors je l'accompagne; je suis ravie qu'il veuille m'emmener avec lui prendre ses photos. Vers 16 h 00, il commence à faire noir, mais il dit

que c'est la meilleure lumière, entre chien et loup, ça fait de magnifiques couleurs. C'est ce qu'on appelle l'heure bleue, lorsque tout devient bleu : le ciel, les bâtiments, les arbres, tout le décor. Il installe son trépied dans la neige, de façon à ce qu'on puisse voir le vieux marché par la rue qui descend vers le centre-ville. Il flaire déjà le sens esthétique de ce que procurera la photo finale. Avec un appareil numérique, il fait des tests. Les voitures qui passent laissent des traînées de lumière ce qui donne un effet d'agitation, comme si on sentait par l'image, le pouls de ce qui se produira, l'ambiance de la soirée. On pourrait presque croire qu'il se prépare une grande fête ce soir.

Il me dit : « Marche devant l'objectif lentement, je te dirai quand aller plus vite. » Alors je serai une passante, je défilerai moi aussi sur cette photo en laissant ma trace. « Un, deux, trois, O.K. Vas-y maintenant! » Il connaît son métier, il ne perd pas son temps, ce qu'il exécute est bien calculé. J'ai de l'admiration pour lui, je sens qu'il est le meilleur pour prendre cette photo. Ensuite, il veut qu'on défile tous les deux ensemble, il met son appareil sur le retardateur, me prend par la main et court avec moi. « Un, deux, trois... ça y est! Je crois que c'est la bonne, celle-là! » Nous retournons voir le résultat. On se réessaie plusieurs fois pour avoir exactement ce qu'il cherche. Quel plaisir nous avons à essayer de capter l'instant déterminant! Nous nous embrassons et, en me quittant, il me dit qu'il me trouve délicieuse. Mon cœur est léger comme une plume et j'humecte mes lèvres qu'il vient de goûter et qui ne savent désormais que prononcer son nom : « Hubert, Hubert... » mon Hubert à moi.

6.

On a fait l'amour au champagne! Je savais qu'il était sensible et délicat, mais il déplace aussi beaucoup d'air dans un lit. On a dansé sur Miles Davis, nus, et il m'a dit que j'avais une belle poitrine. Il m'a engouffré les seins de sa bouche tellement longtemps, il aime mon corps. Et lui, sa peau est tellement douce. On a fait l'amour toute la nuit. Je l'ai caressé partout. Il trémoussait ses fesses sur moi et balançait son membre entre mes draps. J'ai de la difficulté à y croire encore, j'ai des images tellement fortes qui me passent par la tête, je voudrais oublier ça un peu, car j'ai beaucoup de difficulté à me concentrer sur ce que j'ai à faire. Toujours me reviennent nos ébats de la nuit dernière. C'est comme si j'avais commencé à escalader le mont Everest et que j'étais parvenue au sommet. Il m'a dit : « Tes yeux sont tellement perçants, je n'ai jamais vu ça, des yeux si perçants. »

J'avais allumé une chandelle, j'ai dit : « Pendant que je vais chercher les flûtes à champagne, écoute la musique comme elle est belle… » Et lorsque je suis réapparue dans la chambre, il m'a projetée sur le lit. Il y a une flûte qui s'est cassée, mais c'est sans importance, il paraît que ça porte chance du cristal qui se brise. Il a défait ma chemise d'un geste précipité et les boutons n'ont pas tenu le coup, ils se sont envolés dans tous les sens. En découvrant ma poitrine, il est devenu tellement fougueux, je me suis laissé faire, mes seins n'avaient jamais reçu autant d'attention, il était déchaîné, je sentais son désir me bousculer, j'aimais ça, même j'adorais ça! Il a pénétré en moi et nous n'avons pas cessé de nous embrasser, sa langue était devenue ma raison de vivre. Il avait toujours un regard percutant sur mon corps, je sentais qu'il le transperçait de ses yeux, je sentais mon être atteindre un palier inconnu et j'étais sur le point de jouir, j'ai voulu me contrôler, ne pas me presser, mais mon plaisir était extrême alors j'ai tressailli, je me suis laissé aller. Une onde m'a littéralement embrasée et Hubert s'est fondu en moi jusqu'à en mourir de libération. On a fait redescendre notre ardeur en goûtant le champagne que nous partagions de la même coupe et notre nuit s'est prolongée d'un plaisir éperdu jusqu'au matin.

7.

Mon Dieu que la vie est belle! En fin de semaine, samedi, j'ai passé une des plus belles soirées de ma vie! J'ai assisté à un spectacle de blues. Hubert est venu me rejoindre en deuxième partie. On a bu assez. Et un moment donné après le spectacle, la vendeuse de roses est passée, j'ai offert une rose blanche à Hubert, il était si touché. Il m'a dit que c'était la première fois qu'on lui offrait une fleur. Il ne s'attend pas à ce que je lui en offre des milliers pourtant… c'est ce qui risque d'arriver. Pendant le spectacle, il y avait une chanson qui parlait de gazoline. J'ai dit dans l'oreille d'Hubert : « Après le spectacle, est-ce que tu veux faire l'amour avec moi? » Il m'a répondu en riant : « Tu n'es pas assez directe! » On a profité de nos

amis un peu: Jean-François, Claude, Pierre…
et on s'est enfuis en courant vers chez moi.
J'étais folle. Dans mon lit, on a bu du rhum,
on a fumé le narguilé. Un moment donné, on
s'est déshabillés. On a écouté de la musique :
Gingo Reinhardt. On s'est embrassés longtemps, longtemps. Je lui ai dit des choses.
Comme par exemple que ce que j'aimais le
plus au monde était de l'embrasser. Que sa
rencontre me donnait un élan pour continuer à
faire ce que j'aime, à entreprendre mes projets
et aussi (ça je ne sais pas pourquoi je le lui ai
dit! sûrement pour lui faire plaisir) que je
m'étais masturbée plusieurs fois en pensant à
lui. J'aurais dû surveiller son expression, il
avait quand même l'air à trouver ça normal.
On a fait l'amour jusqu'à 5h du matin, c'était
démentiel. Il est venu en moi. Il semblait
complètement surexcité. Je me suis endormie
dans ses bras en moins d'une minute
lorsqu'on a fermé la lumière.

Le lendemain, il n'était plus là. Ça me
fait bizarre quand il part comme ça, car on
dirait qu'il ne s'est rien passé quand je me
réveille seule. C'est seulement quand je
reprends conscience que je me rends compte
par après que j'ai fait l'amour avec lui toute la
nuit. Il m'avait laissé un petit mot sur ma

table de cuisine. Il est trop adorable ce gars-là. Avec lui, je me sens comme avec un grand ami. On rit de tout. Quand je repense à ses baisers… évanescents! oniriques! Il a une si belle bouche. Je n'ai jamais côtoyé quelqu'un comme lui auparavant, c'est une vedette, un personnage en lui-même!

8.

Hubert m'invite à un vernissage, une peintre, je ne sais pas trop qui elle est. Amanda… j'ai oublié son nom de famille. Il doit prendre des photos pour l'événement et du coup, il m'invite. J'en profite, il y aura un cocktail avec tout le tralala… On arrive vers 20 h 00. La fille fait un petit discours et Hubert prend des photos d'elle, alors je reste à l'écart. Je ne connais personne, je suis un peu timide. Du fond de la salle, j'aperçois un homme, l'air ému; il applaudit avec une fervente admiration la peintre qui termine son discours. Il est beau, il a des fossettes dans les joues. Mais attends un peu, je le reconnais! Mais c'est Phil! Oui, oui, mes verres de contact ne me trompent pas! Phil est là! Et, et… et cette fille a les cheveux noirs! Bon alors je fais le lien immédiatement. La *Amanda* est la fameuse fille aux cheveux noirs, la copine de mon ancien Phil. Je me sens quelque peu mal à l'aise, on dirait que je ne suis pas à ma place ici. C'est la première fois que je mets les pieds dans un vernissage, je me retrouve en territoire de connaissances sans connaître personne. Je veux déguerpir au plus tôt. Je sais qu'Hubert doit faire son travail, je l'observe, il prend des photos d'elle. Je me glisse subtilement vers Phil dans l'intention de lui poser quelques questions auxquelles je n'ai pas encore réfléchi tout à fait, mais j'y pense en me frayant un chemin vers lui dans la foule.

« Est-ce bien la grande peintre Amanda? » pourrais-je lui demander.
« Avez-vous un lien de parenté avec elle, chanceux!? »

Non, non, non, je ne suis pas espionne à ce point-là. Je rebrousse chemin, je n'ai pas envie de lui parler finalement. Quelqu'un m'accoste par surprise :

— Dandy? Ça fait une éternité!

Pendant un instant je cherche… Ah oui! j'ai trouvé. Aude-Marie, comtesse de Saint-Tourment. C'est le nom qu'on lui attribuait à son insu à l'école. Je me souviens d'elle maintenant. Parfaitement. Depuis environ dix ans que je ne l'avais revue.

— Bonjour Aude-Marie *de Saint-Tourment.*

— Comment trouves-tu notre chère Amanda?

— Comment? notre chère!

— Tu dois faire de l'amnésie, Dandy, elle révolutionnait les cours d'arts plastiques quand nous n'étions encore que de jeunes bambins!

— Euh… cela ne me dit rien.

— Tu ne te souviens pas d'elle?

— Non, du tout, mais si tu m'en parlais un peu, cela me rafraîchirait peut-être la mémoire.

— Te souviens-tu du beau Antoine, duc de l'Apothéose comme nous aimions le surnommer?

— Si je m'en souviens? J'avais réussi à m'inviter à souper chez ses propres parents.

— Eh bien! Amanda lui a fendu le cœur peu après tes bévues chez ses parents!

— Ah d'accord… le passé refait surface. Je me souviens bien de celle qui l'avait emmené au motel à l'anniversaire de mes 14 ans. Ah comme elle était arriviste! Je n'avais jamais pu voir son visage, je n'avais qu'entendu parler de son magnifique popotin! Merci bonsoir!

Toute une abrutie cette Aude-Marie, ainsi que ses amies!

Non par vengeance, mais par complaisance, je vais directement adresser la parole à Phil, ce pauvre manigancé.

— Bonjour Phil, lui dis-je d'un ton calme et surprenant.

— Bonjour mademoiselle, rappelez-moi votre prénom.

— Dandy, j'ai fait du parachute en votre compagnie si je ne m'abuse, vous êtes bien parachutiste, n'est-ce pas?

— Dandy... Dandy... C'est Amanda qui m'a parlé d'une certaine Dandy, il me semble... Certainement, comment pourrais-je oublier un nom si rare?...

Ah non! quelle inconsciente! Je suis allée me mettre dans le pétrin!

— Vous voyez, continue-t-il, tout s'inspire ici de mon métier : parachutes orangés peints à l'acrylique sur fonds violacés aux pouvoirs célestes.

— Il me semble qu'un homme de votre stature ne peut être qu'objet de songes et élément déclencheur dans la vie d'une artiste. Je ne voudrais pas insinuer que vous n'êtes qu'un cobaye, loin de moi cette idée, mais si seulement l'artiste qu'est notre grande Amanda pouvait être consciente de la fortune de vous avoir à ses côtés...

— Amanda et moi allons bientôt prononcer nos vœux devant Dieu.

J'ai une sueur qui me parcourt la nuque, j'ai immédiatement besoin de me retrouver ailleurs, je me sens soudain incommodée et complètement ridicule.

Et pendant cet entretien avec le modèle, la future mariée discute fortement, c'est-à-dire dans tous ses éclats de concupiscence possible avec MON photographe! Et elle rit, comme toutes les belles aguicheuses du monde rient aux éclats quand un photographe dit, par exemple, le mot *perspective*, ou *objectif*, ou encore *grand angle*. Fichtre ! qu'elles sont belles, ses toiles! Amoncellement de gribouillis, ouais...

9.

Une semaine passe, puis une autre. J'ai presque oublié l'événement des parachutes sur toile, mais un jour Hubert vient me voir et me dit tout enchanté :

« Merci Dandy pour le message, c'était une proposition sérieuse?

— Et bien... de quoi me parles-tu?

— C'est bien toi qui es venue me porter ce message anonyme à mon travail? Je sais que c'est toi!

— Est-ce que je peux voir? »

Lorsque je t'ai vu à l'aide de ton appareil, je n'ai pu m'empêcher de m'imaginer nue, bravant les scrupules, allongée sur mon récamier.

— Elle est folle! Elle te propose de s'envoyer en l'air avec toi de cette façon!

Je me lève et commence à taper du pied sur le plancher.

— Tu veux dire que ce n'est pas toi, j'étais si content, j'aime l'idée de te photographier nue.

— Vraiment Hubert, tu me décourages. *J'avoue que c'est une bonne idée, j'aurais dû y penser avant elle.* Tu ne sais pas encore reconnaître mon écriture. C'est cette fille, la fille aux cheveux noirs, c'est bien évident. Elle va se marier avec Phil et elle ose te faire des avances!

— Comment tu sais que c'est elle? C'est peut-être une mauvaise plaisanterie, un collègue qui voulait me faire une blague.

— Je sais que c'est elle, elle a toujours essayé de se mettre en travers de mon chemin et quand elle t'a vu à la soirée... Tu n'as pas remarqué comment elle s'adressait à toi?

— Bon, bon, je jette ce bout de papier et on arrête d'y penser.

— Ce que je ne comprends pas, c'est qu'elle est fiancée à Phil, elle le trompe ou quoi?

— Il te travaille, ce Phil, tu le prends en pitié à ce que je peux constater.

Je prends le petit message et le déchire en mille morceaux avec les dents pour ensuite les cracher au fond de l'évier. Cela fait rire Hubert.

10.

Quand je suis arrivée ici, j'ai acheté une grosse pastèque, elle est en train de pourrir dans mon frigo. Moi ce que je veux, c'est inviter mes amis à souper. Je veux faire un festin. Je crois que je vais acheter du canard, je vais faire un canard à l'orange. Je ne suis pas douée en cuisine, mais il est assez tôt, j'ai le temps de faire les emplettes et concocter cette recette pour ce soir. Je vais les appeler immédiatement.

— Allo Sam?

— Salut.

— Tu as déjà été aide-cuisinier dans un grand restaurant, n'est-ce pas?

— Oui, ça fait longtemps…

— Je sais que tu es très bon pour la bouffe, ça te dirait de m'aider à faire un canard à l'orange pour ce soir?

— Mais tu rêves en couleur!

— Comment ça?

— Ça demande un temps de préparation, ça ne se fait pas en claquant des doigts. Ce que je te propose, c'est un poulet indien; c'est succulent et tu verras, c'est très simple.

— Bon. Va pour le poulet indien! Tu viens m'aider alors?

— Laisse-moi une petite demi-heure et j'arrive.

J'appelle maintenant Louise, Jean et Hubert. C'est un peu pour lui ce souper, je veux réussir à l'impressionner. C'est Sam qui fera la cuisine, mais c'est moi qui récolterai les honneurs. C'est comme ça lorsqu'on invite. Je pourrais quand même préparer un gâteau au chocolat.

Lorsque Sam arrive, on commence par trouver la recette en buvant une petite bière. Il faut se préparer à travailler, quoi de mieux que de nous distraire avant d'entreprendre cette tâche exceptionnelle?

— On aurait besoin d'au moins deux poulets. Ça dépend si les invités ont un gros appétit mais moi, dit Sam, je crois qu'avec deux poulets on serait correct.

— Est-ce qu'on fait une entrée?

— Un potage. Aux poireaux ce serait bien.

— Le dessert, je m'en occupe.

Vers 15 h 00 on commence à s'y mettre sérieusement après avoir été acheter ce qu'il fallait au petit marché. J'ai plus le sentiment d'être une assistante. Si je me mêle de ses recettes, je ferai tout brûler. J'observe, je bois un peu en lisant des revues… Je décide enfin d'entreprendre mon dessert. J'ai tout ce qu'il faut. Je ne l'ai jamais fait, mais je sens que j'ai confiance. On écoute du *Brassens*, on est tous les deux fous d'un certain disque *Giant of Jazz*, c'est du *George Brassens* repris instrumentalement dans un jazz des plus stimulants pour nos petites oreilles. Les invités se présenteront vers 19 h 00…

— Oh Dandy, j'ai oublié la coriandre, c'est essentiel, je vais retourner au marché, tu me prêtes tes clefs?

— Elles sont là, dis-je en pointant le
  bout du comptoir.

En attendant, je constate que mon
gâteau a monté, mais que le dessus est brûlé.

— Merde! Je n'ai pas mis le four à la
  bonne température.

Je me trompe toujours, les chiffres ne
sont pas visibles, c'est un vieux four que ma
sœur m'a refilé en attendant que je m'en
achète un neuf. Si je laisse le gâteau là, il ne
sera plus comestible. J'ouvre la porte du
fourneau et, soudain, le gâteau s'aplatit, de
façon instantanée. Je ne peux même pas faire
cuire un gâteau comme du monde! Il est tout
mou maintenant. Il ne faut pas que Sam s'en
aperçoive, qu'est-ce que je pourrais faire pour
qu'il reprenne sa forme et cuise en même
temps? Il y a peut-être une solution, si
j'essayais le micro-ondes... Ainsi, il ne pourra
brûler, mais n'aura pas le choix de cuire
finalement. Je n'ai rien à perdre, le gâteau est
déjà un échec. C'est alors que j'exécute mon
plan. Je mets l'appareil électrique au
maximum. Et j'observe ce qui se passe. Le
dessert lève comme je le souhaite, mais tout à
coup, il se met à éclater! La porte du micro-

ondes est éclaboussée par le chocolat. Et Sam arrive à ce moment.

— Vite! pousse-toi!

— Quoi? Qu'est-ce qu'il y a?

Et il voit le beau dégât que je viens de commettre. Il éclate de rire, il se tord le ventre en pleurant tant qu'il rit. Et moi, je ne peux faire autre chose que de rire aussi. Sam me dit :

— Moi, je ne m'occupe pas de ce grabuge, c'est ton expérience, c'est toi
qui ramasses!

Heureusement que le reste du souper a été épargné; seulement, il n'y aura pas de dessert.

Après le nettoyage, je dispose la table. À 19 h 00, quand tout est prêt, nos amis arrivent, et Hubert a pensé à apporter une tarte aux fruits. Comme cet homme est magique! Nous prenons le repas en discutant, en accumulant les bouteilles de vin. Entre le plat de résistance et le dessert, Sam s'éclipse quelques instants et revient dans la salle à manger avec une figure espiègle. Il nous regarde tous et sort une bouteille de derrière son dos en disant :

— Vous aimez l'absinthe?

— Je sens que ce ne sera pas bon pour Dandy ce genre de chose, commente Louise.

— Je dirais plutôt pour Sam. Je n'ai pas hâte de voir à quoi ressemblera cette soirée d'ici un quart d'heure, ajoute Jean.

— C'est si effrayant ce genre d'alcool? demande Hubert.

La voix augmente de décibel, les conversations tantôt calmes deviennent quiproquos, les répliques sont maintenant intenses. Tout est frénésie, presque feux d'artifices, amoncellement de paroles et de rires significatifs et incongrus. Je prends mon violon pour mon plus grand malheur, Jean se bouche les oreilles, je ne sais plus jouer, je crois que nous sommes en train de délirer. Je me dirige vers la fenêtre, il fait froid à l'extérieur, mais trop chaud dans l'appartement. Dans un geste brusque, j'essaie de l'ouvrir, je vois qu'elle est coincée. Enfin, quand je réussis à l'ouvrir, je m'étends la tête dans le cadrage et je m'endors presque parmi les cris et les exclamations des autres. Quelques minutes plus tard, j'entends un grand « Attention! »

C'est Sam qui décide de prendre la pastèque pourrie pour la jeter sur le camion de pompiers brillant de propreté, il vient tout juste d'être lavé. Sam ajoute :

— C'est pour l'appartement de mon amie que vous n'avez pas sauvé! Tant pis pour vous!

Je lève les yeux et je constate ce que Sam vient de faire. Tous les pompiers qui attendent le signal d'alarme patiemment sont consternés. Ils n'avaient pas pensé à ce genre de surprises.

Quand tout le monde est parti, Hubert me reconduit dans mon lit, il s'occupe de moi, je ne l'ai jamais vu aussi attentif, comme si tout était important. Il me trouve un oreiller, place le lit, m'emmène même un seau au cas où je serais malade. Je le remercie cent fois comme une vieille fille saoule, j'essaie de lui parler, mais ce ne sont que des palabres. Ma voix est transformée, je n'articule que des syllabes, il ne comprend pas ce que je dis et c'est normal. Je me sens comme une chiffe molle, je ne comprends rien à moi-même. Il est là au bout de mon grand lit, il reste. J'aurais cru qu'il s'enfuirait en courant, mais il reste.

« Je suis une mauvaise musicienne, je ne joue que des grincements!

— Mais non Dandy, tu joues très bien. Ce n'est pas parce que ce soir tu joues comme un pied que ta vie de violoniste est terminée, tu le sais autant que moi.

— Mais, tu ne m'aimeras plus. Je suis promise à un destin foutu, ma vie n'est que suite de balivernes, je me sens mal…

— Je sais que tu te sens mal, demain tu n'y penseras plus.

— C'est fini, je ne bois plus jamais de ma vie!

— Tu dis ça…

— Oui, c'est vrai, je te jure, je ne bois plus jamais! En tous les cas je ne rebois plus jamais…

Et je m'endors.

Il s'étend près de moi et on dort nez dans le cou, bouche contre oreille jusqu'au lendemain où je ne donne pas cher de ma peau. L'appartement est bordélique, il y a même quelques assiettes par terre, *mais mon Dieu! que s'est-il passé?* Hubert m'aide à ramasser, il me raconte les moments marquants de la veille, plus il me parle, plus ça me revient. On écoute *Stéphane Grapelli*. Jamais plus on ne me reprendra à boire de l'absinthe.

« Mais hier, en me couchant, qu'est-ce que je t'ai dit au juste?

— Tu m'as dit que tu m'aimais.

— Quoi? J'ai dit ça ! moi? Eh bien… je crois que c'est vrai.

— Non, tu ne me l'as pas dit, c'est moi qui l'ai deviné.

— Et toi, tu m'aimes quand même un peu?

— Oui Dandy, je t'aime, je suis bien avec toi. »

Chapitre 5

1.

« Peut-être cinq mois ou six. C'est pour un reportage sur la vie culturelle au Mexique. Je devrai vivre pendant ce temps à la manière des Mexicains et les photographier dans leurs habitudes de vie. Cela risque d'être fort intéressant. Mon patron m'a donné jusqu'à mercredi pour préparer mes bagages, donc je pars dans deux jours. Je ne veux pas que tu t'inquiètes, je t'écrirai tous les jours et je te téléphonerai. Nous y retournerons en vacances tous les deux, c'est promis. Pour cette fois, je dois y aller seul avec Claude, le journaliste. »

C'est bien, je suis contente pour lui. Cela me permettra de me discipliner pour pratiquer mon violon davantage en vue de l'orchestre et je suis certaine qu'Hubert prendra d'excellentes photos du Mexique.

J'accompagne Hubert à l'aéroport le jour de son départ. Je sais que le temps sera long sans lui. Il est si jeune et beau, son image et sa chaleur me manqueront. Tout ce temps sans lui sera l'éternité dans la petite parcelle qu'est notre rencontre. J'ai l'instinct de le retenir. Lui est tout souriant et moi, j'ai presque les larmes aux yeux en le quittant. Il sent mon chagrin, il me dit :

« Je ne pars pas pour toujours, souris un peu, que je ne puisse oublier tes belles dents… À mon retour, j'irai faire du parachute avec toi, d'accord?

— J'attendrai ton retour dans l'espérance de pouvoir voler avec toi, alors…

— C'est promis, ce sera notre petit cadeau à nous deux. En attendant, ne fais pas trop de folies, prends soin de toi. »

Et je le vois passer les embarcadères après qu'il m'ait embrassée longuement dans le cou. Il se retourne et me fait un dernier signe avant que je ne le voie s'éloigner… très loin de moi.

2.

Depuis qu'Hubert est parti, je vois des amis. J'ai invité quelques personnes à souper en fin de semaine. J'ai joué beaucoup, j'avais délaissé un peu mon violon depuis ma rencontre avec Hubert. Je donnais des cours dans la journée, mais je ne jouais plus simplement pour m'amuser. Cela tombe bien, car l'orchestre a recommencé samedi et j'ai pris du temps pour regarder les pièces pour violon. Hubert m'a dit cinq mois tout au plus, donc il devrait être là pour le Bal viennois qui aura lieu au printemps, à moins que son voyage soit prolongé, ce qui est probable. Il m'a téléphoné hier soir. Il était dans un hôtel à Mexico. Dès demain, ils voyageront dans le pays, ils dormiront chez des gens. Il est certain qu'il découvre le Mexique en but d'affaires, mais il profite du voyage de la même façon qu'un touriste. Il m'a dit qu'il se plaisait bien depuis son arrivée, que les gens étaient très sympathiques et qu'il voulait apprendre les rudiments de l'espagnol. Son collègue lui sert d'interprète pour le moment, car Hubert ne connaît pas vraiment les bases de la langue. Mais il est très curieux, ce qui le pousse à apprendre rapidement et il a la chance d'entendre plusieurs dialectes puisqu'ils voyageront dans plusieurs milieux. Il dit aussi qu'il s'ennuie de moi et qu'il aimerait que je sois près de lui pour ce périple. En quelque sorte, je l'envie beaucoup, il a une chance incroyable. J'aimerais beaucoup me monter un répertoire et aller faire de la musique comme artiste ambulante, ce serait une façon pour moi de visiter le globe en vivant sobrement, mais je pourrais tout de même payer mes dépenses en voyageant hors frontières un peu comme Rémi dans le bouquin d'Hector Malot : *Sans famille* .

3.

J'ai reçu une première lettre hier. Il me raconte son arrivée, il n'a pas eu le temps de me le dire au téléphone, mais ils ont dû se rendre à Mexico en autobus.

Dandy, Je suis enfin arrivé à destination vivant et le cœur encore en santé, car disons qu'il a connu de vives émotions depuis que je suis parti. J'ai atterri à l'aéroport de Benito Juarez, je n'ai eu aucune difficulté, j'essayais de me débrouiller avec les douaniers en espanglais ou plutôt en anglais teinté d'espagnol. J'ai seulement eu l'air un peu touriste, mais pour le reste ça allait. J'ai réussi à obtenir la carte de séjour maximal, soit six mois. Ensuite on a passé les bagages en poussant un bouton comme celui des traversées de piétons, il actionne une lumière comme les feux de circulation que nous avons chez nous. Vert, tu passes. Rouge, c'est la fouille! C'est seulement une loi de probabilité et comme j'ai toujours eu de la chance...

Avant de prendre le bus, je me suis senti dépaysé et, spontanément, ce que j'ai vu m'a plu. J'ai décompressé. J'ai pris le temps d'observer ce qui se passait autour de moi, les gens. Il y en a qui se disaient adieu avec tellement de trémolos dans la voix, j'avais envie de pleurer moi aussi. On voit de la pauvreté partout, c'est très sale, il y a des chiens errants... mais, chez les gens, tellement de douceur dans les gestes, une intensité...

J'ai fait le trajet en compagnie de Claude et d'un jeune homme très gentil, il y a des paysages époustouflants, tout est chantant ici.

Je suis si fatigué maintenant, je n'ai plus la force de tenir mes yeux ouverts, je vais dormir, ma belle, je pense à toi toujours.

Ton Hubert, qui t'embrasse très fort xx

Ce soir, je me couche en imaginant Hubert buvant une tequila et portant un toast à ma santé. Sans lui, mon appartement est vide.

Demain, j'irai faire quelques emplettes et je veux profiter de la journée pour lire. J'essaie de planifier quelques trucs sinon je me retrouverai à midi encore dans mon lit. Je suis une si grande dormeuse… Lorsque j'étais aux études, je passais mes fins de semaine à récupérer, je me levais dans l'après-midi, je passais une partie de la journée dans mon lit. Je n'avais aucune raison de me lever. Je profitais du sommeil de la même façon qu'une marmotte. Ma mère disait à mes amis qui téléphonaient dans l'après-midi que je dormais et que j'en avais besoin. J'avais honte, mais je croyais que c'était légitime vu toute l'énergie dépensée au courant de la semaine.

J'aime bien me lever tard. Je n'ai pas été conçue pour affronter les matins, seulement lorsque je sais que j'ai une journée palpitante qui m'attend ou alors un bon déjeuner, mais, avec Hubert, c'est plus motivant de se lever le samedi matin. Je sais qu'à mon réveil, je peux lui faire l'amour et je sais que la journée est une aventure avec lui.

4.

J'ai reçu une autre lettre ce matin.

Chère Dandy, imagine-toi que j'ai vécu mon premier tremblement de terre. Nous étions à la casa de Graciela (notre contact pour la première partie du voyage). J'ai senti comme un espèce d'étourdissement, les bibelots se balançaient, je suis sorti de la chambre en catastrophe, Graciela m'a regardé en me faisait une mine interloquée, elle n'avait rien senti du tout. Et moi qui essayais de mimer pour m'expliquer, comment on dit « tremblement de terre » en anglais? Elle a regardé le cadre sur le mur qui grouillait, elle s'est exclamée : « Ah si, nada, nada » et m'a donné une petite tape sur l'épaule.

Le plus drôle, c'est lorsque tu es assis tranquillement dans la maison et que tu entends crier dehors « AGUAAAAAaaaaa, AGUAAAAAAaaaaaaa! » C'est le garçon qui vend de l'eau. Il y a aussi l'aiguiseur de couteau avec sa petite flûte, alors, si tu as des couteaux à faire aiguiser, tu te précipites dehors.

Je dois te dire que tu me manques énormément, j'aurais tellement envie que tu sois là, avec moi. Je ne cesse de parler de toi à tous les gens que je rencontre et je leur montre la photo où tu as ton chapeau, ils te trouvent tous magnifiquement belle et moi, je leur réponds qu'ils ont raison. Je rêverai de toi ce soir, tu sais, c'est certain, je m'ennuie trop.

Je t'embrasse partout, ton petit Hubert xx

5.

Quand je pense à Hubert, je me dis que c'est l'homme qui m'a le mieux comprise jusqu'à ce jour. Il est au-delà de mes attentes. Avec les autres hommes que j'ai connus, il y avait toujours quelque chose qui clochait dès le début. Je me souviens d'un mec en particulier qui n'arrêtait pas de me parler de ses anciennes conquêtes, cela me tapait royalement sur les nerfs, mais je ne disais rien. J'avais trop peur qu'il me croit jalouse. J'encaissais, j'encaissais jusqu'à un certain jour où nous marchions dans la rue et une voiture s'est arrêtée, un gars a baissé la vitre et m'a dit :

— Salut Dandy!

— Salut, je lui ai répondu.

Mais je ne le reconnaissais pas vraiment. Une voiture derrière la sienne a commencé à donner des coups de klaxons, il a dit :

— Bon, à la prochaine!

C'est alors que le gars avec qui j'étais (mon copain à l'époque) a commencé à me sermonner :

— C'est qui?

— Je ne sais pas, je ne m'en souviens que vaguement.

— Quoi? Il s'arrête comme ça, bloque toute la circulation pour te parler! Toi, tu me dis que tu ne le replaces pas! Pour qui tu me prends? Comment réagirais-tu à ma place?

Nous étions rendus sur un coin de rue très passant, c'était bondé de monde, les baies vitrées ouvertes et la terrasse pleine. Je me suis arrêtée là et je lui ai fait tout un scandale.

— Tes histoires avec tes petites nymphettes attachées sur un lit, tes exploits incalculables dans tous les appartements de la ville, ton titre de satyre, comme tu dis… penses-tu que ce sont des choses qui m'intéressent vraiment?

Le ton a monté automatiquement, je n'ai pu m'empêcher d'ajouter :

— Penses-tu que ça m'impressionne de savoir que tu as couché avec madame sans nom ou une fille aux cheveux trois couleurs? Qu'un gars me salue de façon amicale, c'est très compromettant à tes yeux, mais moi, je trouve que c'est infime comparativement aux sales trucs dont tu te vantes jour et nuit!

Cette fois, il a assimilé et après s'est tenu tranquille, disons qu'il a eu la chance d'avoir une sensibilisation sur ce qu'il ne faut pas dire à une femme, il était temps. Si ça n'avait pas été moi, quelqu'un d'autre l'aurait fait à ma place, c'était inévitable.

6.

Je me suis rachetée un équipement pour aller faire du ski. Ce soir, Louise m'a invitée à aller en faire après les cours. Juste avant d'arriver, Louise et moi sommes en pleine discussion. Nous nous parlons des amours dysfonctionnels, l'idée c'est que tant qu'à vivre une relation malsaine, il vaut mieux être célibataire.

« Mais avant de rencontrer Hubert, je n'étais pas si mal célibataire, c'est un état confortable; on n'a qu'à penser à nous. Et pourquoi constamment chercher l'amour? Cela révèle une carence, ou alors un manque affectif que d'être toujours à la recherche.

— Moi quand j'étais célibataire, c'est vrai que j'étais bien, mais aujourd'hui à 40 ans, je crois que j'aurais de la difficulté à me retrouver seule, ce n'est pas comme lorsqu'on est jeune, que tous les gars sont accessibles, les hommes célibataires de mon âge ne sont pas tous recommandables...

Ce sont des opinions que l'on se donne, on discute entre amies sauf qu'on est dans le vif du sujet quand on arrive à la station et qu'on descend de l'auto. Un homme bedonnant d'environ 50 ans, pas particulièrement agréable à regarder nous entend et se permet de nous donner son avis sans qu'on ne le lui demande :

— Moi, personnellement, une femme de 40 ans, je ne trouve pas ça attrayant, j'aime beaucoup mieux regarder les jeunes, elles sont plus... comment dire... innocentes et faciles à... satisfaire... elles sont...

Louise ne lui laisse pas le temps de terminer sa phrase.

— Nous avons ici l'opinion d'un homme rustre et visiblement grégaire, tu vois, Dandy, ce que je te disais, chez les hommes parfois, après un certain âge, apparaît une tare et, ensuite, il leur est très difficile de se défaire de ça, tu comprends?

Et c'est là, qu'un jeune homme qui prenait ses skis, dans une voiture devant nous, se permet lui aussi d'intervenir, il avait tout entendu depuis le début.

— Moi, je n'ai que 26 ans, je ne suis pas encore atteint et… je suis disponible!

— Ah! Dandy aussi a 26 ans!

Le jeune homme me tend soudain la main.

— Enchanté, moi c'est Anthony!

Je lui serre la main en baissant les yeux, je suis dépourvue. Si j'avais été, moi aussi disponible, j'aurais sûrement posé un pas de plus, mais, immédiatement, je me sens esseulée. Mon Hubert loin de moi, je mène une vie individuelle dans son intégralité, je ne sais pas où il se trouve, il ne sait rien de mon présent, ne sait pas qu'ici, il y a tellement de neige que cela peut être, pour certains, un prétexte pour courtiser l'autre. Je regarde Louise et lui fais un geste de la tête pour lui démontrer que j'ai envie, maintenant, d'aller dévaler les pentes. Elle comprend au même instant que je ne suis pas d'humeur à laisser introduire qui que ce soit dans ma bulle, dans mon espace. Je veux retrouver celui que j'aime et cela s'avère impossible. Le temps est si long sans sa présence comment supporterai-je tout ce qui reste à venir?

7.

Noël, presque les vacances. Ça ne fait pas deux ans que je travaille au primaire. Mes collègues et mon directeur me considèrent comme étant une grande amoureuse de la musique. Avec les élèves, j'essaie de pousser la pédagogie plus loin qu'en leur faisant seulement apprendre des chansons ou la flûte à bec. Je leur fait découvrir Mozart, j'aime leur demander leurs impressions après leur avoir fait écouter des pièces classiques et aussi des auteurs contemporains. Il y a quelques temps, je leur ai expliqué l'histoire de *l'apprenti sorcier*, un poème musical composé par Paul Dukas inspiré d'une ballade de Goethe. Ensuite, je leur ai passé un extrait du film *Fantasia* de Walt Disney en leur démontrant les différences apportées. Ils étaient fascinés, c'était vraiment beau de les voir si absorbés. C'est parfois difficile d'exercer une certaine discipline, ils ne me voient que deux périodes dans un cycle de quinze jours. Je crois qu'ils m'apprécient. Aujourd'hui, c'est la fête. J'ai emmené mon violon, je veux leur jouer quelques *reels* folkloriques du répertoire de mon grand-père Claude. Il était tout un joueur de violon, il n'y en avait pas de meilleur que lui. C'est lui qui m'a transmis cette passion.

Je permets aux élèves de jouer à des jeux de société pendant que je leur fait entendre des rythmes entraînants. Certains élèves dansent. Je sais que le directeur fera la tournée des classes avec sa guitare. Je préviens les enfants.

Pendant que je suis face à la classe et que je m'efforce de donner une prestation endiablée, il y a Leslie et Amélie derrière moi qui dessinent au tableau. Pierre-Étienne et Charles frappent des mains, Émilie et Alice se racontent des secrets, Jacob dans son coin s'amuse avec des avions en papier. Ce moment est réconfortant. Je leur fais découvrir la musique de nos ancêtres pendant qu'ils s'amusent… C'est alors que j'entends crier. Je ne m'en aperçois pas tout de suite. Mais Amélie et Leslie se prennent aux cheveux derrière moi. Elles se battent et se griffent en criant, les autres élèves sentent l'atmosphère tendue si bien qu'on n'entend même plus le son de mon violon. Je m'arrête et constate que les deux filles se prennent pour des lutteuses dans une arène de la *WF*. Je me lève d'un bond en arrêtant tout, je me fâche après elles, les autres élèves ne répondent plus, j'ai perdu le contrôle. C'est exactement à ce moment que le directeur fait son entrée. Il éteint les lumières. Tous se taisent. Et il dit :

— Mais ma parole, qu'est-ce qui se passe ici?

— Je…

Que puis-je donner comme explication? Comment puis-je récupérer la situation? Je ne suis qu'une indigne maîtresse d'école. Je suis une musicienne avant tout et le rôle de professeur ne me sied pas tout à fait. J'ai choisi ce métier par vocation de la musique et non par vocation de l'enseignement. Il y a parfois quelques failles dans ce domaine. Aujourd'hui j'ai constaté que je n'exerçais pas assez de contrôle vis-à-vis ces enfants. Moi ce que j'aime, c'est lorsqu'ils sont à l'écoute, lorsqu'ils s'intéressent à cet univers passionnant qu'est la musique. Il y a beaucoup d'autres choses à considérer. Les enfants ne sont pas toujours aimants et innocents. Entre eux, ils sont parfois méchants. J'en veux contre moi de les avoir laissés quelque temps sans surveillance, je croyais pouvoir m'amuser avec eux et leur faisant confiance, en les stimulant tout en les laissant libre. J'ai une rencontre dans le bureau de mon directeur après les cours. J'espère qu'il ne sera pas trop intransigeant, ça m'inquiète. Le reste de la période, ils la passent dans le silence le plus complet. Je ne veux plus rien entendre. À l'avenir je me permettrai d'être plus sévère avec eux.

Lorsque j'entre dans son bureau, je m'attends à tout. Ce n'est pas un bourreau, ni un tyran, c'est un homme doux, il me dira les choses telles qu'elles sont.

— Dandy, je te vois aller depuis un certain temps. Tu es bien jeune, tu as l'esprit ludique, tu t'amuses avec les enfants. Par contre, au niveau de la discipline, il y a un manque. Les enfants ont besoin d'être encadrés. Tu dois exercer ton autorité, même si tu n'aimes pas ça. Je sais que les enfants t'adorent, tu es capable, Dandy. Tu as tout ce qu'il faut pour devenir un grand professeur.

Je deviens les yeux plein d'eau. Je ne peux me contenir, on porte un jugement sur mon travail. En tant que travailleurs on espère être parfaits, on se rend compte que, nous aussi, nous avons des défaillances. Mon directeur me tend un mouchoir.

— Ne t'inquiète pas, l'expérience va rentrer, on a tous passé pas là. Tu vas te reposer pendant les vacances et tu entreprendras la nouvelle année du bon pied. On t'aime, Dandy, toi aussi il faut que tu formes ton caractère.

Je quitte l'école quelque peu rassurée, il est 16 heures, je n'emmène pas de devoirs chez moi, je profiterai de ce temps de repos tout en m'amusant avec mes amis et ma famille, j'oublie l'école pendant deux semaines complètes.

8.
Nous voilà rendu au temps des réjouissances. Je suis chez mes parents avec toute la famille, mon frère, mes sœurs, mes neveux, mes cousins, cousines, oncles, tantes… Je me demande comment ils fêtent Noël au Mexique… J'ai reçu des fleurs ce matin.

« *Même si je suis loin, je fête Noël avec toi, car tu es toujours dans mes pensées, Hubert xx.* »

Il est charmant.

Toute la famille a le cœur à la fête et moi, je me retire quelques instants. On aime faire de la musique ensemble en cette belle soirée, mais mon violon ne veut plus jouer. Comment reprendre la musique quand elle nous a quittés? Personne auparavant n'avait besoin de me réchauffer, mais ce soir j'ai besoin de sentir et d'entendre la poitrine de mon Hubert. Une poitrine rythmée, une poitrine qui sait réchauffer, j'imagine ses mains aussi, son nez, ses cils, ses lèvres. Je ne veux plus fêter Noël, je voudrais que nous soyons un matin caniculaire et me réveiller avec Hubert sur moi, un rêve autorisé, nos eaux se mêleraient… un bain si doux, empreint de sensualité comme la mer qui glisse à nos pieds dans un pays étranger.

9.

Le temps passe, les jours, les semaines, je ne m'en rends plus compte. Cela fait déjà plus de temps qu'il est parti que le temps que nous avons passé ensemble. C'est difficile, au moins si je pouvais prendre un train pour aller le rejoindre une fin de semaine. Je regarde ses photos, elles m'inspirent la nuit quand je me sens seule.

Claude et Hubert se sont liés d'amitié avec un jeune Mexicain de la rue. Il les a abordés un soir comme ça, ils se sont ramassés dans un coin pas très rassurant et le jeune les a aidés à trouver leur chemin. Depuis ce temps, ils le traînent partout. Hubert me dit que c'est un bon garçon. Moi, je suis un peu sceptique, à leur place j'aurais peur qu'il parte avec mon argent pendant la nuit. Je dis ça, comme ça, car je sais qu'Hubert est du genre à faire confiance à tout le monde, il n'est pas très méfiant. Parfois il est même un peu naïf, c'est bien ce qui fait son charme, mais il pourrait se faire jouer des tours.

Le jeune leur fait voir les bidonvilles et les endroits où s'échangent des affaires assez louches. Je n'arrête pas de dire à Hubert de faire attention à sa peau. Il me répond qu'il n'y a aucun danger. Il a pris un tas de photos, il me dit qu'il n'a pas assez de valises pour ranger tous ses films. Il paraît que, là-bas, les autobus sont décorés à l'image du chauffeur. L'autre jour, ils ont embarqués dans un bus et bonjour l'ambiance! Il y avait de la musique, lumière tamisée et stroboscopes. Une autre on y joue les *Beatles* ou alors de la musique à tendance religieuse avec photos et crucifix… Pour tous les goûts, elles n'ont en commun que la forme et l'inconfort! me dit-il

Chapitre six

1.

7 avril

C'est la plus belle journée depuis que le printemps est arrivé. J'ai le cœur léger, je marche dans la rue en souriant aux passants, je vais jusque chez Jean, qui m'attend pour souper. Les arbres ont des doigts de bourgeons, le soleil provoque des marées sur les trottoirs, les oiseaux éclatent leurs poumons. Je suis heureuse et je sais que le retour du prince est pour bientôt. Je cours dans l'escalier, j'arrive au deuxième. Je cogne deux coups, j'ouvre la porte. « Bonjour, c'est moi! »

Jean a l'air déboussolé, complètement, les yeux exorbités, il met ses deux mains sur mes épaules, il semble à bout de souffle, il me presse pour m'asseoir, il me dit :

« Dandy c'est horrible ce qui arrive, j'essaie de ne pas paniquer, il faut que tu restes calme.

— Qu'est-ce qui se passe? Bon sang!

— Ils viennent de dire au bulletin de nouvelles… Hubert est mort au Mexique, ils ont montré sa photo, je viens tout juste…

— Non, non, non! C'est impossible! Non, dis-moi que ce n'est pas vrai!

Mon corps tantôt si animé devient frêle en l'espace d'une seconde. La boule qui vient d'entrer dans mon ventre n'en sortira plus jamais. Ce sont les larmes qui déforment mon visage. Crispée, je me retrouve anéantie par les spasmes qui provoquent mon corps. Mes mains… elles tremblent en demandant force pour serrer les poings, elles m'arrachent les yeux, les cheveux, la peau…

Jean me prend la tête en pleurant, il est aussi démuni que moi, et son regard est plein de compassion. Je demande sur un ton de colère :

— Qu'est-ce qui s'est passé?

— C'est un Mexicain qui l'a asséné avec une lame. Il y aura enquête, car ils n'ont pas trouvé le truand.

Hubert si gentil, si complet, comment cette tragédie avait-elle pu lui arriver à lui, à moi? C'était un être si pacifique...

Ce soir-là a été terrible, incapable de cesser de pleurer, incapable de prononcer un mot, j'étais devenue un bain de larmes. Jean m'a fait un lit, il était hors de question que je retourne chez moi, je savais que le téléphone ne dérougirait pas. Je ne voulais plus rien savoir de la terre, le monde ne tournait plus désormais. Quelqu'un en avait voulu à notre bonheur, Dieu peut-être. Il n'avait pas le droit de me faire ça. J'étais en furie contre lui, j'étais en furie contre Tout.

C'est mon cœur qui faisait du trapèze au-dessus d'un précipice. Je savais qu'il se construirait la carapace blindée qu'il méritait. Sortir de ce marasme résulterait du miracle, mais, de toute façon, je ne croirais plus jamais au miracle...

J'ai pleuré toute la nuit, je sentais que l'insomnie ne me laisserait plus d'autre choix que de jongler toute la vie, si ma vie en était vraiment une... Tout m'était égal à présent...

Le printemps n'avait plus tout à coup la même allure.

Hubert avait peut-être été témoin d'une bagarre ou on avait voulu lui prendre son argent...

Mon pauvre Hubert, toute son existence, il a poursuivi la ligne qui mène au soleil, la plus claire des routes. Aujourd'hui on le retrouve inerte, dans un espace des plus obscures.

2.

Le jour des funérailles est arrivé. Il y a tellement de monde dans l'église que certains doivent restés debout, sans compter tous les badauds et les journalistes qui fourmillent autour. En entendant *l'Ave Maria*, je me suis dis *Hubert est retourné près des siens, près des anges*... Je me sens si seule, je n'ai eu l'occasion de rencontrer ses amis, sa famille, je ne suis qu'une ombre...

Sur le parvis, les parents d'Hubert croisent mon regard, je m'approche d'eux tranquillement. Sa mère me dit solennellement : « Est-ce que c'est toi, Dandy?

— Oui.

— C'est toi qui as fait des derniers jours de sa vie un bonheur.

— Merci madame, je me réconforte d'entendre ces belles paroles...

— Oh! il m'a tellement parlé de toi, même lors de notre dernière communication téléphonique, il t'aimait beaucoup.

Hubert avait parlé de moi à sa mère... Ses mots à mon égard percent l'abîme qui nous sépare, c'est sa façon de me démontrer tout son amour... J'ai été celle qui n'aurait pas dû le laisser partir. Je m'en veux... Cela aurait dû se passer autrement.

3.

J'ai des idées obscures, une seule pensée m'envahit, celle de la mort. J'aimerais mourir, je suis inquiète, j'ai peur... que la vie soit toujours aussi triste qu'en ce moment, je souffre terriblement, tant de souffrance, tant de malheurs qui s'accablent sur moi... J'attends, je traîne, je ne sais plus vers où me diriger. J'aimerais seulement trouver ce maudit assassin pour lui crier les injures que j'ai en tête, lui faire payer… *le salopard!* Je souhaite qu'il moisisse en prison et qu'il avale de la merde!

J'ai mal à la tête. J'ai la mémoire percutée et ça me fait mal. Je tiens mon front, les veines voudraient éclater. Je veux me rappeler, je ne veux rien oublier, mais c'est douloureux. La réminiscence est permanente, mais c'est une torture de revenir à ces images. Ça déchire le cœur… Je remue des idées noires toute seule dans mon appartement.

Je n'ai pas encore trouvé ma vocation, j'ai des millions de rêves, mais ça m'est égal à présent, s'ils se réalisent ou pas… Ça m'est égal de mourir à présent, j'espère seulement mourir avant mes sœurs et mon frère. La mort est maintenant une question qui me hante ; chaque jour je pleure. Si je dois mourir à 90 ans, comment je ferai pour attendre tout ce temps avant de le revoir? Et ce n'est même pas certain qu'on se revoit… Pourquoi? mon Dieu, pourquoi l'homme que j'aime? Pourquoi nous avoir donné la vie si tu nous la reprends? Et il n'entend pas, il n'entend pas les prières que je lui adresse, il est bien trop haut…

Hier je suis allée sur la promenade et j'ai crié son nom au ciel, il ne m'a pas entendue. J'ai observé pour voir ce qui allait se passer et RIEN, il ne s'est rien passé, aucun signe, rien, le vide, il ne sait pas le chagrin que son départ m'a causé… Il n'en a pas l'ombre d'un soupçon. Moi Dandy, jure que, si je sors de cette chair, j'irai le retrouver où qu'il soit, en enfer ou ailleurs!

4.

Amanda se tient devant moi, la tête penchée, j'ai de la difficulté à la regarder dans les yeux. C'est une trop grande dépression pour moi qui aimait tant la vie auparavant. Le contraste est un fossé entre le ciel et le néant. Un être supérieur m'en veut-il tant pour m'effrayer jusque dans mes crevasses intérieures? Toute la noirceur veut s'échapper par mes gestes :

— Écoute, je tiens vraiment à m'excuser, comme tu devais t'en douter, c'est moi qui ai écrit le message anonyme, c'était pour me venger, j'ai voulu bousiller ton couple comme tu avais voulu bousiller le mien. Je me sens idiote. Maintenant tu es là et Hubert est parti, c'est l'ironie de la vie. Hubert n'aurait jamais fait de mal à personne. Je m'en veux, Dandy, je m'en veux terriblement…

— On ne peut plus rien faire aujourd'hui.

— Je ne sais pas quoi te dire…

— Ne dis rien, Ça va. Je tombe en morceaux, mais ça va.

Amanda est mal à l'aise, on ne sait jamais comment s'y prendre avec les gens qui vivent un deuil, c'est toujours comme ça. Pour ce rendez-vous auquel elle tient, elle a pour moi un cadeau. Elle me tend une toile qu'elle a faite à mon attention. C'est un chevalier tombé de sa monture, je le reconnais tout de suite.

— Don Quichotte de la Manche.

— Il a été vaincu cette fois-là par le chevalier de la Blanche Lune en l'honneur de la dame de ses pensées.

J'ai toujours cru que tu étais la Dulcinée d'Hubert, c'est à partir de cette idée que m'est venue l'inspiration pour créer cette toile.

C'est magnifique! Rossinante est d'un rouge flamboyant. Au loin, en silhouette Sancho Pança. Ça vient me chercher. Je remercie Amanda et je sors du *café d'Ében* en me disant qu'elle est probablement devenue une alliée, les gens sont surprenants, on le reconnaît parfois par moments difficiles.

Je me découvre, soudain, une force insoupçonnée pour me lever de table avec une fierté rebelle. Je marche la tête haute pour me rendre jusque chez moi avec la toile sous mon bras. J'aime imaginer qu'Hubert est maintenant l'astre qui fait briller cette journée, j'ai les yeux fixés sur lui, il réchauffe le monde entier. Il s'est battu une fois contre le Chevalier de la Lune…

Il y a un homme sur mon chemin qui chante « *Boum, le monde entier fait boum, tout avec lui dit boum quand votre cœur fait boum boum* ». Hubert adorait cette chanson de Trenet.

5.

Le Bal Viennois. Une trentaine de musiciens rassemblés, tous des cordes. Moi je suis là avec mon violon, personne ne se doute du sentiment qui m'habite. Je porte avec moi le deuil, empreinte de ma léthargie. Juste avant de commencer, je fais une prière…

Hubert, on dit que prier en musique, c'est prier sept fois… une prière aux étoiles… la musique sera pour toi, je te louerai par mon instrument, je ferai de toi quelqu'un de bien vivant. Aide-moi, Hubert, aide-moi à passer ces moments difficiles. Dandy est une petite fille fragile, si petite qui a besoin de toi. Où aller maintenant? Sur des chemins qui me parlent de toi, vers la paix, Hubert…

C'est à ce moment que le chef d'orchestre nous fait signe, un grand souffle, un grand mouvement et les musiciens s'exécutent. C'est si beau. Je sens mon cœur qui bat le rythme de l'incandescence musicale, c'est si prenant; le frisson dans mon épine, mes doigts si frêles, je tremble tout en étant confiante de ma prestance sur scène. Les gens dansent, je vois mon frère dans la salle, je le vois danser avec mes amies, avec ma sœur. Ma mère m'observe, tout le monde est

là. C'est une grande soirée, la plus impor-
tante à mes yeux. De mon promontoire je
peux les voir, je leur touche presque, je les
fais vibrer, je suis si heureuse de les avoir près
de moi, ils m'accompagnent dans mes réus-
sites. Il me manque mon Hubert... Mais
désormais, il comprendra tout l'amour dirigé
vers lui, dans l'immensité de l'azur, le ciel qui
nous rapproche, le vœu que je lance à mon
étoile.

La Veuve Joyeuse, peut-être une des
plus belles pièces, celle-là même qui parle de
moi, je l'avais tant pratiquer sans me douter
de l'émotion qu'elle me ferait vivre ce soir,
j'ai le cœur qui chambranle, je repense en ce
moment à la photo qu'Hubert avait prise de
moi la première fois et j'ai ce même visage,
mais il est davantage transformé, il est plus
véritable encore de la peine transparente, une
larme à l'œil gauche, elle coulera tout le long
de ma joue jusqu'à la mentonnière... Mon
Dieu, je sens qu'Hubert prend sa photo. Il est
toujours avec moi.

Quelques mois après le deuil...

Phil me dit d'un air surpris :

— Ils ont voulu! Comment les as-tu persuadés?

— Hubert n'avait fait aucun testament, mais sa dernière parole avant de partir était : « À mon retour, j'irai faire du parachute avec toi. » Il est revenu ou non?

— Il a des parents impressionnants! Dis donc, tu sembles aller mieux toi.

Je monte dans l'avion. Pendant les vingt minutes que dure le vol, je ne prononce aucune parole à Phil qui se trouve derrière moi, j'ai seulement le temps de réfléchir encore une fois à mes aspirations, je sais qu'Hubert m'aurait appuyé en tout et partout, dans toutes mes quêtes personnelles. J'entends une musique inconnue, elle est si forte, je sais qu'elle s'imprégnera dans la portée de ma mémoire. J'ai envie cette fois-ci de faire quelque chose d'impossible en sa mémoire à lui. Promouvoir l'espoir de naître meilleur.

La porte s'ouvre, Phil me demande si je suis prête, je décide que je vais sauter debout. Je vois la terre au-dessous de moi. La mappemonde m'attend. Je crie en toute liberté le code de la témérité en défiant les carcans de l'homme de ne savoir voler.

— Prête!

Je me lance la tête en plein vent. Je vois le monde d'en haut. Je me sens si près du maître de la création.

J'ouvre la petite urne que je tiens fermement. Les cendres d'Hubert s'éparpillent dans le ciel, il fait maintenant partie intégrante de l'univers, cette vie probablement supérieure à la nôtre.

Son voyage ne se termine pas au Mexique, ni dans mes bras, ni dans la mort, il se termine dans la beauté du dernier soleil couchant.

FIN

Remerciements

Merci à Nathan Williams, Josée Ouimet, Fabien Nadeau,Esther Turcotte,Lyne Laliberté et Karine Langlois pour leur aide précieuse. Merci à ma grande sœur, Martine, pour la réalisation de l'illustration. À mes éditeurs Alicia St-Amant, Claudia Sorel et Camil Pednault de m'avoir permis de réaliser mon rêve. Je voudrais remercier mes parents, Andrée et Denis, pour leurs encouragements dans tous mes projets d'écriture. Et un merci particulier à Patrick Deslandes d'être apparu sur mon trajet au bon moment.

Imprimé au Canada en 2006

Les Éditions « Messagers des Étoiles »
102, rue Normandin
Saint-Alphonse-de-Granby
Québec, JOE 2AO

www.messagersdesetoiles.com

450 777-4243